Monique P.

# simplifiez-vous *la vie*

Pour l'édition française :
Traduction : Anne-Marie Naboudet-Martin,
Ghislaine Tamisier-Roux
Mise en œuvre de l'édition française : Édition D'Alembert


Conception graphique : Guylaine Moi. Réalisation : G&C Moi


123, boulevard de Grenelle, Paris


7-13, boulevard Paul-Émile-Victor – Île de la Jatte
92251 Neuilly-sur-Seine Cedex

WERNER TIKI KÜSTENMACHER
& LOTHAR J. SEIWERT

# simplifiez-vous *la vie*

VOTRE SANTÉ, VOS RELATIONS,
VOTRE COUPLE, VOUS-MÊME

**Des mêmes auteurs :**

*Simplifiez-vous la vie : votre maison, votre bureau, votre argent, votre temps* (Tome 1),
Éditions Michel Lafon, 2006

# PRÉFACE

*Cher lectrice, cher lecteur,*

*On disait autrefois « donner un sens à sa vie ». Nous sommes convaincus que nul autre que vous ne peut vous apporter la clé de ce « sens ». Vous la portez en vous comme un bourgeon qui ne demande qu'à éclore.*

*Donner du sens à votre vie, c'est développer de façon optimale vos propres possibilités et occuper dans la société la place qui vous apportera le plus, à vous et aux autres. Cela revient à définir le meilleur équilibre possible entre l'amour de soi et l'amour du prochain.*

*En suivant les chemins proposés dans cet ouvrage, vous trouverez le but de votre existence. Vous vous transformerez, intérieurement et extérieurement, et l'on vous demandera pourquoi vous avez l'air si heureux. Vous découvrirez en vous des continents encore inexplorés.*

*Un grand nombre de gens ne trouvent pas le sens de leur vie parce qu'ils se posent des questions trop compliquées. Ils ne se doutent pas à quel point tout est simple, en réalité !*

*En lisant ces quelques lignes, vous avez commencé à emprunter la voie de la simplification. Nous vous souhaitons beaucoup de curiosité et beaucoup de plaisir dans votre nouvelle démarche…*

Werner Tiki KÜSTENMACHER
Pr Lothar J. SEIWERT

# INTRODUCTION

## Le modèle de la pyramide

On peut représenter la voie de la simplification sous la forme d'une pyramide à degrés : la voie qui mène vers son noyau simple et lumineux – l'essence même de notre existence – est constituée de marches qui symbolisent les différents domaines de la vie. Cette ascension est aussi un cheminement vers l'intérieur de soi-même. Vous réussirez si, à chaque étape, vous rencontrez le succès.

Le premier tome de *Simplifiez-vous la vie* a abordé tout ce qui concerne votre environnement matériel, vos finances et votre temps (étapes portant sur des questions courantes, et nommées ci-dessous 1^er^, 2^e^ et 3^e^ étages de la pyramide). Le présent ouvrage aborde votre santé et votre bonheur, votre entourage et, pour finir, votre moi intime (étapes appelées ici 4^e^, 5^e^, 6^e^ et 7^e^ étages).

Sachez cependant que l'ordre des diverses étapes n'a pas d'importance. Vous pouvez commencer en bas, au milieu ou en haut, peu importe !

## Vos biens (1er étage)

Par « biens », nous entendons ici tout ce que vous possédez. Selon les estimations statistiques, on compte en moyenne plus de dix mille objets par personne. Néanmoins, les écarts entre individus sont considérables, et vous-même en détenez peut-être bien plus. C'est par le rangement de votre table de travail que vous devez commencer, ne serait-ce que pour jouir du plaisir extraordinaire que l'on ressent lorsque l'on domine sa paperasserie au lieu d'être dominé par elle. Procédez ensuite de même avec votre armoire, votre appartement, votre garage, votre voiture, en réservant le même sort à vos objets personnels et à ceux que vous utilisez sur votre lieu de travail.

## Votre argent (2e étage)

Vos finances ne sont que des objets virtuels, des biens potentiels. Il est souvent beaucoup plus difficile de voir clair dans sa situation financière que de ranger son appartement de fond en comble. En effet, il ne s'agit pas seulement de votre argent liquide et de votre compte en banque, mais aussi de vos dettes et de vos prêts. La question qui se pose surtout est celle du rapport qu'on vous a appris à entretenir avec l'argent, et des blocages psychologiques que vous avez dans ce domaine.

## Votre temps (3e étage)

Il s'agit là d'un bien encore plus difficile à appréhender. Si nous disposons tous de vingt-quatre heures par jour, l'essentiel est cependant de connaître la part des heures de vraie liberté qui sont à nous réellement. Notre conjoint, nos enfants, nos clients, notre chef, nos collègues, nos parents, tous veulent leur part de notre temps. À cela s'ajoutent nos tâches et habitudes quotidiennes, nos loisirs, nos marottes, et peut-être une passion secrète... Combien de temps nous reste-t-il donc pour nous consacrer entièrement à nous-mêmes ? Pour nous ressourcer, réfléchir et, même, ne rien faire du tout ? Vous pouvez faire là aussi le ménage, et vous simplifier la vie : vous franchirez ainsi un pas important en direction de vous-même.

## Votre santé (4e étage)

Notre corps est notre bien le plus intime. Malheureusement, nous humains nous y intéressons seulement lorsqu'il se plaint. Quant aux véritables malades, tout tourne autour de leur corps, qui occulte alors tous les autres aspects de leur vie, pourtant tout aussi importants. La voie de la simplification vous apprendra à ne pas en arriver là et même, à long terme, à éviter autant que possible la maladie. Vous apprendrez à avoir « un esprit sain dans un corps sain », ce qui implique aussi un rapport sain avec votre propre sexualité.

## Votre entourage (5e étage)

Le réseau social que constitue votre entourage professionnel peut vous compliquer sérieusement la vie : intrigues, querelles, révoltes, envie en sont les expressions négatives. Même les relations amicales sont parfois compliquées. Il arrive que l'on se laisse envahir par ses amis, que l'on n'existe plus que pour ses proches et que l'on en oublie ses propres besoins. Dans ce cas, il est temps, là encore, de faire le ménage : vos rapports sociaux en seront facilités. La voie de la simplification vous libérera et vous rendra de nouveau disponible pour des contacts humains qui vous enrichiront et vous feront progresser. Elle vous aidera à clarifier vos relations avec vos parents et avec les autres membres de votre famille. Elle vous permettra même d'avoir un regard neuf sur votre propre existence.

## Votre conjoint(e) (6e étage)

Pour qu'un être humain se réalise vraiment, il doit rencontrer son alter ego. Ce dernier n'est pas forcément le conjoint ou la personne avec laquelle on vit. Ce peut être un parent, un ami ou toute autre relation importante. La voie de la simplification s'efforce par ailleurs d'en finir avec l'idée absurde selon laquelle la réussite professionnelle va nécessairement de pair avec des difficultés dans le couple.

## Votre moi intime (7e étage)

Cette étape est d'un tout autre ordre que les précédentes. Franchissez-en le seuil et vous trouverez le but de votre existence, votre conception personnelle de la réalisation de soi, votre propre définition du bonheur, bref, le sens de votre vie. Vous constaterez, au terme de votre voyage, que ce septième degré est le règne de la simplicité absolue. Pourtant, cet espace n'est pas vide : c'est votre personnalité, dans ce qu'elle a d'unique, qui le remplit. Vous y rencontrerez bien plus que vous-même et, lorsque vous en ressortirez, vous aurez subi une véritable et merveilleuse métamorphose.

Simplifiez-vous la vie
Niveau 7: Simplifiez-vous vous-même
Niveau 6 : Simplifiez votre vie de couple
Niveau 5 : Simplifiez vos relations sociales
Niveau 4 : Simplifiez vos questions de santé
Niveau 3 : Simplifiez votre utilisation du temps
NON
Niveau 2 : Simplifiez vos finances
Niveau 1 : Simplifiez votre environnement matériel

# SIMPLIFIEZ VOS QUESTIONS DE SANTÉ

## 4e étage de la pyramide

## OBJECTIF DE CETTE ÉTAPE :

Apprenez à écouter votre corps
et à économiser vos forces

## Vos rêves de simplification : première nuit

Vous montez des marches et vous abordez un nouvel étage de votre vie. Vous éprouvez un sentiment à la fois d'intimité et de familiarité. À première vue, il vous semble que cette partie de l'édifice où vous arrivez est uniquement composée de miroirs. Où que vous regardiez, que ce soit au loin ou tout près, vous ne voyez que vous-même. Vous percevez diverses parties de votre corps séparément, et vous voyez même à travers votre peau. Vous êtes entouré(e) de parfums connus. En vous déplaçant, vous ressentez, selon les moments, une chaleur douillette ou un froid glacial, parfois aussi des picotements agréables, puis à nouveau une douleur lancinante. Vous vous sentez tantôt épuisé(e), tantôt débordant(e) de vitalité. Vous remarquez par endroits des poteaux et des canalisations qui, de toute évidence, relient ce niveau de la pyramide aux autres. Vous êtes à l'étage de votre santé et, bien sûr aussi, de tous vos maux. Certes, vous savez bien qu'il existe des liens entre votre état physique et celui de vos finances, comme entre les objets que vous possédez et bien des aspects de votre vie. Pourtant, vous vous étonnez de la diversité et du nombre de ces interrelations ; vous êtes surpris(e) de constater que ce niveau de votre vie ne cesse de bouger, sous l'effet d'un ensemble de facteurs eux-mêmes en évolution permanente.

Vous faites alors une découverte incroyable : dès que vous étudiez de plus près les conduits qui relient cet étage aux autres, vous demandant où ils peuvent bien mener, ils rétrécissent et un grand nombre disparaissent même complètement. Vous soupirez de soulagement, un petit courant de bonheur vous parcourt les veines. Vous commencez à entrevoir ce que vous allez faire.

« Le principal, c'est la santé ! » dit-on. Ce qu'on entend par là, c'est généralement l'absence de maladies. Pourtant, être en bonne santé, ce n'est pas seulement ne pas être malade. C'est bien plus que cela.

C'est se sentir bien dans son corps, prendre plaisir à faire de l'exercice, préserver et même développer ses forces ; c'est aussi avoir le droit d'être malade. Les maladies contribuent en partie au développement psychologique. De la même façon que les pathologies infantiles peuvent aider l'enfant à grandir, il est bon que l'adulte comprenne les signaux que lui envoie son corps et qu'il en fasse bon usage. Si vous chassez dès leur apparition les symptômes désagréables à l'aide de médicaments, vous vous privez d'une mine d'informations précieuses qui pourraient vous permettre d'acquérir une plus grande maturité. Sans compter qu'il peut être dangereux de ne pas rechercher la véritable cause de la maladie et de ne pas traiter le problème à la racine.

Avoir une approche positive pour ce qui touche à la santé est capital. C'est pourquoi nous voulons, pour commencer, vous donner quelques conseils simplificateurs qui devraient vous apporter le bien-être et même le bonheur.

# PREMIÈRE IDÉE : LIBÉREZ LES GERMES DE VOTRE BONHEUR

## Bougez !

S'il n'y a pas, dans votre cas, d'indication médicale contraire (comme pour toutes les recommandations qui suivent, du reste), arrangez-vous pour faire au moins une demi-heure d'exercice physique par jour, si possible en plein air. Faites un tour à vélo, une promenade ou un peu de jogging, jardinez, ou pratiquez n'importe quel sport du moment qu'il vous plaît. L'activité idéale serait la danse, qui allie l'influence positive de la musique et les contacts sociaux. À moins que vous ne décidiez tout simplement de vous déplacer à pied...

En effet, l'effort musculaire libère dans notre organisme les bêtaendorphines produites par le cerveau. Ces peptides chargés de la transmission des informations entre les cellules nerveuses ont une action qui s'apparente (de loin) à celle de l'opium : suppression des humeurs dépressives et diminution de la sensibilité à la douleur. Aussi, lorsque vous voyez un escalator ou un ascenseur, fuyez-les et cherchez la cage d'escalier ! Monter les marches est l'exercice physique le plus efficace et… le moins coûteux. Parvenu(e) au sommet de celles-ci, vous percevrez nettement les battements de votre cœur, et vous vivrez un petit moment de bonheur. N'oubliez jamais cependant qu'un effort trop important peut être dangereux. Un jogging trop rapide, par exemple, peut contribuer au déclenchement d'un infarctus.

## TOURNEZ VOS YEUX VERS LE CIEL !

Au moins une fois par jour, regardez le ciel. Appréciez l'immensité de l'univers en respirant profondément, et sentez le globe terrestre sous vos pieds. Vous pourrez ainsi vous libérer du poids que représentent vos diverses obligations. En outre, si vous vous tournez vers l'est, vous serez dans le « bon sens » : c'est en effet dans ce sens que tourne la Terre, et vous tournerez avec elle, à plus de 1 000 km/h sous nos latitudes !

Les spécialistes conseillent aussi de se lever une fois par mois assez tôt pour aller à la campagne voir le lever du soleil. D'autres activités déclenchent également la production d'endorphines : marcher pieds nus dans l'herbe encore mouillée par la rosée du matin, nager sous le ciel (à la mer, dans un lac ou dans une piscine découverte), écouter le silence de la nature. Lorsqu'une journée de travail particulièrement difficile vous attend, levez-vous plus tôt et allez marcher une demi-heure à travers champs, si cela vous est possible.

Si vous vous sentez surmené(e), débordé(e) par les difficultés d'une tâche, et que votre motivation commence à baisser, faites une pause. Changez de position et cherchez à voir le ciel. Sortez à l'air libre ou allez au moins jusqu'à la fenêtre. Levez les yeux et scrutez la voûte céleste jusqu'à ce que votre regard se concentre sur l'infini. Fouillez ensuite dans votre mémoire et posez-vous les questions suivantes : « Quand ai-je réussi à mener à bien pareille tâche ? Qu'est-ce qui m'avait alors permis d'y arriver ? » Prenez conscience du rôle que vous-même avez joué et n'attribuez pas votre succès entièrement au hasard et à la chance. Le moindre souvenir de votre capacité à surmonter un problème peut contribuer à vous remotiver et vous aider à reprendre le dessus.

## Souriez !

Pour bien commencer la journée, souriez-vous dans la glace. À première vue, cela peut paraître stupide, mais des études ont prouvé l'effet positif de ce geste. Un vrai sourire, bien grand, qui étire les muscles des joues et des yeux pendant trente secondes environ, indique au cerveau que l'on a de vraies raisons d'être de bonne humeur. Cette technique, dite *facial feed-*

*back*, repose sur la théorie selon laquelle la simulation d'un sentiment peut le faire naître.

Cette méthode est également valable en cas de frustration ou d'événements contrariants. Souriez, et vous sortirez vainqueur de l'épreuve ! Sachez que le sourire est aussi la meilleure arme contre l'agressivité. Et puis, souriez au moment de vous endormir. Il fait nuit, personne ne le remarquera, mais vous, vous en sentirez les effets bénéfiques.

## DORMEZ BIEN !

Si vous dormez la nuit d'un sommeil profond, vous augmentez vos chances d'être heureux. Pour cela, quelques règles simples peuvent vous être utiles : dînez léger, ne mangez plus rien après 22 heures, prenez si besoin une tisane apaisante ou un verre de lait chaud avant de vous coucher, suivez un rituel d'endormissement bien établi, aérez votre chambre, prenez un édredon ou une couette bien douillets, et supprimez les appareils électriques à 220 V branchés près de votre lit (remplacez votre radioréveil par un réveil à piles). Un dernier conseil pour refaire vraiment le plein d'énergie : couchez-vous au moins une fois par semaine avant 22 heures. Si vous avez du mal à vous endormir, essayez l'une des nombreuses méthodes de relaxation qui ont fait leurs preuves. Nous en avons sélectionné pour vous deux qui sont particulièrement agréables.

### *Méditation de l'aigle*

C'est le soir. Posez-vous par la pensée au sommet d'un gros rocher d'où vous avez une très belle vue alentour. Non loin de vous, un aigle sur son aire déploie lentement ses ailes, puis s'élance puissamment dans les airs.

Il vole en direction du soleil couchant. Observez très intensément et très précisément chacun des battements d'ailes de l'oiseau jusqu'à ce qu'il ne soit plus qu'un point minuscule à l'horizon.

### *Méditation du tapis roulant*

Vous êtes sur un tapis roulant comme il y en a souvent dans les aéroports, mais celui-ci est sans fin. Sans bruit, à vitesse constante, il vous emmène loin de l'agitation du hall de l'aéroport, et vous vous retrouvez à l'air libre. Toujours sur le tapis, vous parcourez ensuite de magnifiques paysages, vous longez un fleuve, vous traversez une forêt. Vous êtes entraîné(e) toujours plus loin, jusqu'au bord de la mer, puis le long d'une très belle plage immense et déserte, tandis que le soleil qui rougeoie s'enfonce lentement dans la mer.

## FAITES-VOUS PLAISIR EN MANGEANT (RAISONNABLEMENT !)

Quoi qu'on puisse dire, rien ne contribue plus à notre sentiment de bien-être que la nourriture, et ce depuis notre plus tendre enfance.

Ce n'est toutefois pas la quantité, mais la qualité qui permet d'éprouver ce bien-être. Moralité : choisissez bien ce que vous faites ingérer à votre organisme. Il est en effet désormais scientifiquement prouvé qu'en mangeant, on ne rassasie pas seulement son corps, mais on nourrit également son psychisme. Nous vous proposons ci-dessous une liste d'aliments qui ont des effets secondaires favorables et parmi lesquels vous pourrez choisir.

Aliments conseillés :

*Pour améliorer la concentration :* avocat, asperges, carottes, pamplemousse.

*Pour activer les muscles et le cerveau :* harengs, dorade.

*Pour développer la mémoire :* lait, noix, riz.

*Pour avoir meilleur moral :* jus d'orange, poivrons, soja, bananes.

*Pour éliminer le stress :* fromage frais, amandes, levure de bière.

*Pour ressentir le bien-être :* haricots, petits pois, tofu.

*Pour mieux dormir :* pain, pâtes.

*Pour être plus sociable :* homard, germes de blé.

*Pour renforcer le système immunitaire :* ail.

*Pour augmenter la libido :* huîtres, morilles, légumes secs.

*Pour prévenir les infarctus et le cancer, et pour être de meilleure humeur :* un verre de vin rouge le soir (mais pas plus de trois verres par 24 heures !).

## DEUXIÈME IDÉE : RETROUVEZ L'ENTHOUSIASME

C'est le psychologue américain d'origine hongroise Mihaly Csikszentmihalyi, éminent spécialiste de la créativité et du bonheur, qui l'a découvert : être heureux ou malheureux ne dépend finalement pas tant des conditions de vie que de la personne elle-même. Si le bonheur n'est pas une chose que l'on peut fabriquer de toutes pièces, ce n'est pas non plus un événement qui se produit naturellement et qui vous tombe dessus comme un inévitable coup du sort. La réalité se situe entre ces deux extrêmes : le bonheur est un état auquel on peut se préparer. Et si l'on ne peut pas le provoquer, on peut en revanche grandement l'entraver. Comme le résume Csikszentmihalyi, « ceux qui apprennent à maîtriser leurs expériences intérieures sont en mesure de déterminer la qualité de leur vie. Tout dépend donc de ce que l'on appelle bonheur ». Ce n'est pas en vacances, affalé dans un transat sur la plage, que l'on connaît le plus grand bonheur. Ce n'est pas lorsque l'on est passif ou détendu que l'on vit les meilleurs moments, mais au contraire lorsque le corps et l'esprit tendent vers leurs limites. Le bonheur, c'est de sentir naître en soi une petite flamme d'intérêt, et de l'attiser jusqu'à provoquer le feu de la passion. Le bonheur n'est pas un état qui s'inscrit dans la durée ; c'est un ensemble de petites bulles de joie et de bien-être. Se plonger dans une activité au point que rien d'autre ne paraît avoir de l'importance (comme un enfant absorbé par son jeu), c'est ce que Csikszentmihalyi appelle le *flow* (ce qui signifie flux, fluidité, plénitude... en anglais). Lorsqu'on est en période de *flow*, tout coule, tout s'enchaîne naturellement. Le *flow* est intrinsèquement lié à la simplicité, c'est la simplification appliquée à soi-même, c'est « l'état d'une conscience dans laquelle règne l'harmonie ». Dans chaque domaine de la vie on connaît des moments de bonheur qui ne se produisent qu'une seule fois, un peu comme dans le premier amour. Il serait absurde pour un couple d'espérer revivre indéfiniment les frissons des premiers rendez-vous. Méfiez-vous de ceux qui affirment être « amoureux comme au premier jour ». Le vrai bonheur ne naît pas de la nostalgie du passé, mais du chemin parcouru sur le plan psychologique : par exemple, le fait d'avoir des enfants ou d'avoir accompli quelque chose de durable, ou encore de pouvoir profiter de la vie malgré un handicap physique... Le véritable bonheur est totalement indépendant de la culture, de l'âge, de l'éducation ou du niveau de vie. Csikszentmihalyi a rencontré des individus « plus heureux que la moyenne » aussi bien chez les mineurs que chez les artistes, les chefs d'entreprise ou les chirurgiens. Mais presque tous étaient particulièrement actifs, et tous s'interrogeaient sur leur existence.

## Les sept clés du bonheur

Redisons-le encore : si l'on ne peut créer le bonheur de toutes pièces, on peut en revanche en préparer le terrain. En étudiant des gens heureux, les spécialistes ont découvert les sept conditions suivantes.

### *1. Impliquez-vous totalement*

Une séparation trop nette entre les sphères professionnelle et privée empêche le bonheur. Une « mentalité de fonctionnaire » (« à 16 h 30, je pose mon stylo ») nuit au *flow*. Pour être heureux, il faut pouvoir se plonger complètement dans une activité, et ceux qui passent aisément de leur vie privée à leur vie professionnelle parviennent plus facilement au *flow*.

### *2. Concentrez-vous sur l'instant présent*

Il n'est pas bon de travailler uniquement en vue d'un objectif lointain (gagner beaucoup d'argent, obtenir un certain poste...). Ceux qui connaissent le *flow* sont bien ancrés dans le présent. L'heure qu'indique la montre n'a plus aucune importance pour eux, tous leurs faits et gestes se déroulent à la vitesse optimale, sans précipitation mais sans interruption non plus. Le temps semble suspendu, l'instant paraît éternel. Renoncez aux vaines comparaisons avec le passé ou avec vos rêves d'avenir. Vous aurez ainsi plus de chances de vivre une expérience de *flow* intense.

### *3. Consacrez-vous à une seule activité*

Les personnes qui mènent plusieurs activités de front sont incapables de *flow*. Ce n'est que lorsqu'on se consacre entièrement à une occupation que l'on peut connaître de tels moments de plénitude.

### *4. Apprenez à apprécier votre travail*

Ceux qui connaissent le *flow* sont ceux qui ont réussi à transformer en opportunités les limites de leur univers professionnel. Ils considèrent qu'ils sont eux-mêmes la mesure de leur propre valeur, et le regard des autres comme l'argent qu'ils gagnent en travaillant passent pour eux à l'arrière-plan. Parmi les personnes les plus heureuses que Csikszentmihalyi a étudiées, il y avait un simple « métallo », très apprécié de tous pour ses compétences techniques et sa serviabilité.

### *5. Fuyez les collègues insatisfaits*

Le monde du travail influe grandement sur l'humeur. Si vous êtes entouré(e) de collaborateurs râleurs et négatifs, vous aurez beaucoup plus de mal à connaître le *flow* que si vous évoluez dans une équipe harmonieuse. Repérez bien dans votre entourage professionnel les insatisfaits chroniques qui pourraient inconsciemment vous contaminer, et tenez-vous à l'écart de ces êtres nuisibles, ou bien faites-vous muter !

### *6. Cherchez un travail que vous maîtrisiez*

Lorsqu'on se sent victime et qu'on a l'impression non pas de vivre, mais de subir, on n'est plus capable de ressentir de la joie, même si l'on fait son travail à la perfection. Si c'est votre cas, n'hésitez pas à changer d'emploi, et peu importe si le nouveau est moins bien payé ou moins prestigieux. Lorsque au contraire on a la chance d'être heureux dans son travail, on le fait si bien que tôt ou tard on en récolte les fruits, que ce soit sur le plan pécuniaire ou du statut.

### *7. Organisez vos loisirs*

Étonnamment, il est plus facile d'être satisfait de son travail que de ses loisirs. C'est que le monde professionnel comporte des objectifs, des règles et des exigences bien établis. Les loisirs, en revanche, sont moins structurés, et il faut se donner du mal pour en tirer profit et plaisir : il faut les planifier et les organiser. Les gens qui ne gaspillent pas leur temps libre ont une attitude positive, ils vivent plus vieux et sont moins malades. En revanche, ceux qui en travaillant ne pensent qu'à leur soirée et à leur week-end connaissent rarement le *flow.* Seuls 18 % des personnes interrogées par Csikszentmihalyi parviennent au *flow* dans leurs loisirs et, dans presque tous les cas, cela se produit dans le cadre d'un passe-temps organisé.

# TROISIÈME IDÉE : SOYEZ EN FORME

Quatre-vingt-quinze pour cent des sportifs amateurs se surmènent sans le savoir. Le sport n'est pas forcément bon pour la santé, qu'il s'agisse du corps ou de l'esprit. Dans presque toutes les disciplines sportives en effet, y compris le fitness, on a établi une hiérarchie : débutants, avancés, niveau compétition. Aussi, le courageux qui se lance dans une activité ne tarde-t-il pas à déchanter : comme il ne veut pas être le dernier de son groupe, le voilà immédiatement propulsé à la recherche de performances, alors que c'est précisément ce qu'il cherchait à fuir en faisant du sport.

Faut-il donc faire une croix sur ce dernier ? L'envie nous vient de rappeler ici la règle d'or de Winston Churchill : *« First of all, no sport ! »* (« Avant tout, pas de sport ! ») Mais attention, n'oublions pas que ce grand cynique a passé les quatorze dernières années de son existence dans un fauteuil roulant... Alors, quelle est la solution ? Le plaisir, bien sûr ! Comme l'explique Gerd von Kunhardt, ancien sportif de haut niveau aujourd'hui spécialisé dans la forme et la santé, le sport devrait toujours être synonyme de plaisir. Grisant, pas épuisant. Donc, entraînez-vous en douceur et non à la dure !

## Faites des mini-entraînements

Maux de dos, tensions, rhumes à répétition, vous pouvez éviter tout cela, et bien plus encore, en faisant travailler un peu vos muscles. Ceux-ci sont en mesure de produire eux-mêmes presque toutes les substances importantes dont le corps a besoin pour vivre et rester en bonne santé. C'est pourquoi il est indispensable de renforcer sa musculature et de travailler l'endurance. Attention toutefois à ne pas trop en faire lorsque vous prenez enfin cette sage décision ! Notre conseil : optez pour le sport « à doses homéopathiques ». La méthode la plus rapide pour développer des muscles faibles est celle des *exercices isométriques* : une tension de cinq à dix secondes face à une résistance constante. Les *exercices d'équilibre*, eux, sont bons pour la micromusculature, tandis que tous les *exercices dynamiques* sont bons pour la circulation. Un truc facile : pratiquez les exercices suivants à heures fixes, en vous livrant à des activités de tous les jours, et faites-en un rituel immuable.

- En vous brossant les dents, adoptez la position du skieur alpin, c'est-à-dire fléchissez les genoux et faites de petites flexions-extensions tout en souplesse.
- En sortant de la douche, séchez-vous de façon énergique.
- Rasez-vous en vous tenant sur un seul pied.
- De même, lorsque vous boutonnez votre chemise, lorsque vous faites votre nœud de cravate, mettez vos bijoux ou lacez vos chaussures, tenez-vous sur un pied.
- Quand vous devez attendre, piétinez sur place.
- Lorsque vous êtes à l'arrêt en voiture, appuyez

sur le volant pendant dix secondes en contractant les fessiers, et décrivez des cercles avec la tête et les épaules.

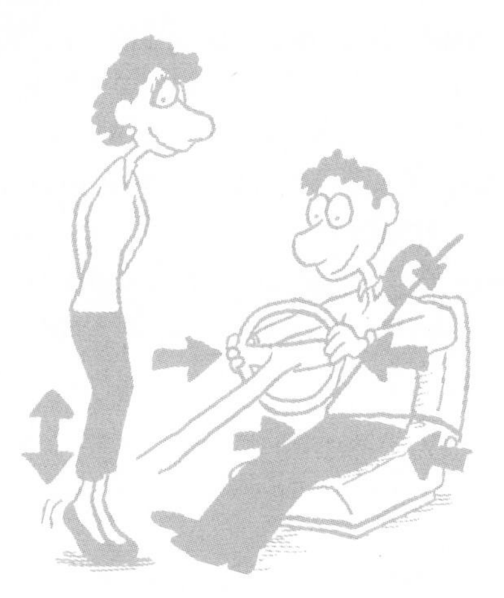

## Courez avec ménagement

La course à pied compte encore et toujours parmi les exercices physiques les plus efficaces. Si vous êtes tenté(e), ne prenez toutefois pas exemple sur les marathoniens ou les futurs professeurs de sport, pensez uniquement à vous et suivez les quelques règles suivantes de Gert von Kunhardt qui sont fort simples :

1. Échauffez-vous avant de courir (étirez-vous bien, puis relâchez). Une à deux minutes suffisent.
2. Les trente premières secondes de la course, relâchez bien les bras et les épaules en courant, évitez de forcer et essayez de trouver votre rythme.
3. Puis, pendant une minute, ralentissez au maximum jusqu'à ce que vous ayez l'impression de faire du surplace.

4. Durant les quelques minutes qui suivent, courez en prenant conscience des changements qui s'opèrent dans votre corps (le nombre de globules rouges augmente, la pression artérielle monte, les veines se dilatent, la régulation hormonale intervient).

5. Ralentissez le rythme. Votre objectif n'est pas de battre un record de vitesse, mais seulement de ressentir un bien-être. Ignorez le regard des autres. Oubliez tous les critères du jogging idéal. Souvenez-vous que ce que vous recherchez avec cet exercice, c'est vous ressourcer.

6. Après cinq minutes, la phase d'adaptation de votre organisme est terminée. Vous pouvez maintenant continuer de courir sans problème. Profitez du cadre, du ciel, de la végétation, des bruits et des parfums de la nature.

7. Au bout de dix à vingt minutes, votre organisme franchit un palier : de nouveaux capillaires se forment, des substances nuisibles, les cholestérines, sont éliminées, l'équilibre hormonal se modifie, diminuant le stress. Vous avez le sentiment que vos pieds sont légers, l'impression que vous pourriez courir ainsi éternellement. Si, au contraire, vous vous sentez « au bout du rouleau », c'est qu'à un moment ou à un autre vous n'avez pas fait ce qu'il fallait.

Si vous préférez le vélo, c'est votre droit, mais

appliquez les mêmes règles. La meilleure bicyclette pour le dos et les articulations est le bon vieux modèle hollandais, sur lequel on se tient assis le plus droit possible.

## Prenez des forces en vous promenant

Sachez qu'il existe des alternatives au jogging. Si vous voulez vous détendre tout en faisant travailler les principaux muscles de votre corps, faites une promenade. Une simple marche au grand air est incroyablement efficace pour améliorer la forme, diminuer le risque d'infarctus et maîtriser son poids. Cependant, ce n'est pas en un jour que vous en ressentirez les nombreux effets positifs. L'idéal est de prendre l'habitude d'aller vous promener (un chien qu'il faut sortir par tous les temps est une bonne chose pour la santé). Commencez par une promenade de trente minutes chaque jour, quelles que soient les conditions météorologiques, et méditez ce proverbe de nos amis britanniques : « Il n'y a pas de mauvais temps, il y a seulement des vêtements inadaptés. » Ne traînez pas, marchez d'un bon pas, mais sans précipitation.

Pendant votre promenade, veillez à ce que votre pouls s'accélère modérément, dans tous les cas moins que lors d'un footing. Trouvez un partenaire : votre conjoint, un ami, un enfant ou un chien, éventuellement celui du voisin !

Comptez vos pas et réglez votre respiration : inspirez longuement sur six pas, puis bloquez celle-ci sur six autres pas, expirez pendant six nouveaux pas et, enfin, bloquez de nouveau votre respiration, poumons vides, sur six pas. Et ainsi de suite. Si ce rythme ne vous convient pas, réduisez le nombre de pas à votre guise. Cet exercice respiratoire originaire de l'Inde vous aidera à vous calmer, à trouver l'équilibre, et à avoir l'esprit clair et disponible.

Fixez-vous un but pour votre promenade quotidienne : un arbre, une rivière ou un lac précis, ou encore un joli point de vue, dans tous les cas un lieu que vous aimez bien. Observez son évolution au cours des saisons. Ainsi votre promenade deviendra une sorte de pèlerinage, et vous donnera de l'énergie psychique. Goethe avait pour sa part une sympathique habitude : il emportait toujours en promenade des graines de fleurs qu'il dispersait sur le bord des chemins et il se réjouissait à l'idée de les voir pousser et fleurir l'année suivante. Pourquoi ne pas en faire autant ? Vous pouvez recueillir des graines vous-même ou bien en acheter à bas prix dans une jardinerie.

## Trouvez la façon d'être motivé(e)

- Commencez modestement : cherchez à vous aérer, pas à vous épuiser. Ménagez-vous !

- Ne laissez pas les autres vous dicter ce que vous devez faire : attendez d'être vous-même convaincu(e) de l'intérêt de la chose.
- Concoctez votre propre programme : décidez quand vous allez commencer à faire de l'exercice, à quelle fréquence, pendant combien de temps, et où.
- Instaurez un mécanisme de contrôle : mettez-vous d'accord avec un partenaire (mais pas quelqu'un qui vous surmène) et notez dans un agenda chaque séance effectuée.
- Comprenez bien que même une mini-séance de cinq minutes est bénéfique.
- Profitez de la moindre volée de marches et de la moindre occasion pour faire de l'exercice (sauf contre-indication médicale, bien entendu).
- Il n'est jamais trop tard : même des septuagénaires peuvent développer leur musculature de façon spectaculaire et améliorer leur état cardiovasculaire !

# QUATRIÈME IDÉE : ÉLIMINEZ LES TOXINES

Débarrassez-vous de vos kilos superflus, mais sans suivre un régime particulier. La voie de la simplification prône la régularité plutôt que l'excès, l'évolution plutôt que la révolution, et elle préfère les petites avancées aux coups d'éclat. En neuf étapes simples, vous pouvez transformer vos habitudes quotidiennes de façon à atteindre sans peine, en un an ou deux, votre poids idéal. Lorsqu'on applique la bonne technique, il devient même plus facile de maigrir que de conserver son surpoids ! Et rien ne simplifie plus la vie que se sentir bien et être en forme physiquement, qu'il s'agisse de l'extérieur ou (surtout) de l'intérieur du corps.

## 1. Ayez une image parfaite de vous-même

Très rares sont les gens satisfaits de leur physique. On se trouve le nez trop grand, le ventre trop gros, les dents trop jaunes, les seins trop petits ou trop volumineux, la peau ridée ou bien terne… Il arrive même qu'on soit tellement obsédé par ses défauts qu'on n'a plus le courage de s'attaquer à des petits problèmes esthétiques qui pourraient pourtant s'arranger (l'embonpoint, par exemple). L'optique simplificatrice consiste à renverser le problème. Installez-vous devant un miroir et cherchez ce qui vous plaît en vous. Ce sont peut-être vos yeux, vos mains, votre sourire ou votre voix. Vous serez étonné(e) de constater à quel point cet exercice peut non seulement avoir une influence positive sur vous, mais aussi vous inciter plus efficacement qu'un *mea culpa* permanent à retrouver la forme et à adopter une alimentation plus saine.

Ensuite, imaginez-vous nu(e) devant la glace, ravi(e) de l'image que celle-ci vous renvoie. Représentez-vous vous-même de la façon la plus précise, la plus vivante possible. Pourquoi cet exercice ? Parce que c'est dans notre cerveau droit, centre de la pensée, des sentiments et de l'imagination, que nous enregistrons ce qui concerne notre vie intérieure : cet hémisphère cérébral étant très étroitement lié au subconscient, à la longue, l'image positive que vous vous serez donnée de vous-même, vous poussant à évoluer dans ce sens, aura une incidence bénéfique sur vous. N'imaginez et ne dites rien de négatif (du style « Je suis trop gros(se) » ou « Ce que j'ai l'air idiot(e) ! »), car ces pensées viendraient envahir votre subconscient. Formulez au contraire vos impressions de façon positive : « Mon organisme est en train de puiser dans ses réserves de graisse », « J'embellis de jour en jour », etc. Concoctez ensuite un plan d'attaque où les injonctions raisonnables remplacent les interdits, et souvenez-vous que bouger, faire de l'exercice et avoir une alimentation saine ne doivent pas forcément êtes vus comme des contraintes, mais plutôt comme du bien que vous vous faites à vous-même.

## 2. Pesez-vous tous les matins

Même si l'objectif de votre programme minceur n'est pas de perdre un nombre précis de kilos, sachez que monter sur la balance est incontournable. Vous devez absolument surveiller quotidiennement votre poids : la tendance est-elle à la hausse ? à la baisse ? L'idéal est d'afficher au mur un papier avec deux colonnes, l'une pour vous, l'autre pour votre conjoint(e), et d'y reporter tous les deux votre poids chaque matin. Si vos courbes remontent après un bon repas, vous pourrez chercher ensemble à inverser la tendance.

## 3. Au petit déjeuner, prenez uniquement des fruits

Pour perdre du poids, il n'est pas nécessaire de réduire fortement les quantités de nourriture, mais seulement de *modifier* ses habitudes alimentaires. Après une courte phase d'adaptation, il vous semblera facile de remplacer votre petit déjeuner habituel par un repas composé uniquement de fruits. Ainsi, l'ananas frais est particulièrement efficace pour stimuler le métabolisme. Gardez-vous toutefois de manger exclusivement de ce fruit, ce qui apporterait trop d'acidité à votre estomac. L'idéal serait un délicieux cocktail de fruits. La quantité n'a guère d'importance : mangez jusqu'à ce que vous soyez rassasié(e).

Ce petit déjeuner frugal présente un autre atout : en ne mangeant que des fruits avant 11 heures, vous offrez à vos intestins un nettoyage naturel quotidien, véritable cure de jouvence pour l'ensemble de l'organisme.

## 4. Évitez les aliments « morts »

Chaque fois que vous mangez quelque chose, demandez-vous : cet aliment est-il mort ou vivant ? Il est en effet dans la nature de l'homme de se nourrir d'aliments frais. C'est bien pourquoi nous devons assaisonner et relever les plats « morts » pour leur trouver du goût. Parmi les aliments sources de vitalité, citons les *fruits*, les *légumes* et les *céréales* non traitées, qui contiennent les véritables trésors que sont les vitamines et les minéraux. En revanche, la viande, la plupart des graisses, les sucres raffinés, toutes les conserves et toutes les « cochonneries » industrielles (chips, barres chocolatées…) sont des aliments « morts ».

## 5. À midi, ne mangez que ce qui vous fait envie

Comme tous les animaux, l'homme connaît d'instinct les limites de sa capacité d'absorption de nourriture : lorsqu'il est rassasié, celle-ci ne lui dit plus rien. Cependant, bien que nous ayons conservé cette faculté, nous prenons un malin plaisir à la déjouer avec force mets raffinés, ou en faisant jouer la pression sociale (« Viens déjeuner avec nous ! », « Finis ton assiette ! »). Il suffit toutefois d'être attentif pendant quelques jours pour sentir à nouveau à partir de quand on ne doit plus rien avaler. Lorsque c'est le cas, n'ayez aucun scrupule à ne pas terminer votre portion et sachez apprécier le fait d'avoir mangé selon votre appétit. Enfin, prenez si possible vos repas à heures fixes : votre organisme s'y habituera et tirera un meilleur parti de votre alimentation, tandis que votre sensation de faim diminuera.

## 6. Dînez légèrement

Le soir, la digestion est lourde, de sorte que le dîner est le principal responsable de l'accumulation des graisses dans notre corps. C'est donc ce repas qui se répercute le plus sur la balance et que vous pouvez sauter le plus facilement. Deux repas par jour (des fruits au petit déjeuner et un déjeuner raisonnable) suffisent pour être en bonne santé.

Dans bien des cas, le dîner a cependant une fonction importante, car il réunit toute la famille. Vous pouvez conserver cette habitude, mais allégez alors le menu : contentez-vous d'une petite salade verte, de quelques rondelles de tomate ou de concombre et d'un morceau de pain, c'est-à-dire d'aliments très peu caloriques, et tout ira bien.

## 7. Régalez-vous entre amis

Ne renoncez pas aux invitations à déjeuner ou à dîner : une orgie de calories occasionnelle fortifie merveilleusement l'organisme s'il est habitué à une alimentation plus légère, et il se met ensuite presque de lui-même à la diète le lendemain.

## 8. Restez zen

La plupart des régimes échouent parce qu'ils se focalisent sur les ventres trop gros. Résultat : soit on regrossit après le régime (« effet Yo-yo »), soit on interrompt celui-ci et on revient à ses bonnes vieilles habitudes… Il me faut confesser qu'en suivant le régime « hollywoodien », je rêvais régulièrement de croissants au beurre ! Il est bien plus judicieux de modifier son comportement alimentaire petit à petit. Faites-le donc de façon suffisamment progressive pour que votre conjoint(e), voire les autres membres de votre famille, puissent vous suivre. (Si l'on est seul à jouer les ascètes, l'expérience montre en effet qu'on a peu de chances de réussir.) À chaque étape, vous sentirez un mieux : vous ne serez donc pas obligé(e) d'attendre le jour lointain où vous aurez enfin atteint votre objectif pour être récompensé(e) de vos efforts, et votre vie en sera immédiatement simplifiée.

## 9. Buvez de l'eau

Lorsque vous ressentez un petit creux, pas question de prendre un yaourt, un gâteau ou une barre de chocolat : buvez de l'eau. Si vous ne voulez pas de l'eau du robinet, essayez plusieurs marques jusqu'à ce que vous trouviez celle qui vous convient le mieux. Le plus efficace consiste à boire un grand verre d'eau *avant* le repas, ce qui vous fera manger moins que d'habitude. Surtout, ne vous laissez pas tenter par l'expérience qui consiste à faire « plusieurs petits repas » car, au bout du compte, on mange alors beaucoup plus que prévu. Renoncez le plus possible au thé et au café. Vous vous sentirez fatigué(e) pendant quelques jours mais, la phase de désintoxication terminée, vous serez étonné(e) de votre vigilance sans le coup de fouet de ces excitants. Précisons que les personnes âgées perdent parfois la sensation de soif et qu'elles se déshydratent facilement. Il faut leur rappeler de boire (du lait, de l'eau, du thé ou une tisane), soit 2,5 litres par 24 heures.

## *Pourquoi les boissons « light » ne font pas maigrir*

Le Dr Batmanghelidj a constaté que, parmi ses patients, ceux qui grossissaient le plus étaient ceux qui buvaient exclusivement des boissons sucrées par des édulcorants de synthèse. Voici l'explication qu'il en donne : plus de 80 % de la quantité de boissons consommée aux États-Unis contient de la caféine. Or cette dernière est une drogue qui agit directement sur le cerveau et qui est susceptible de déclencher tous les symptômes de la toxicomanie. Non seulement elle stimule le système nerveux, mais aussi elle déshydrate, raison pour laquelle les gens consomment du soda en de telles quantités. Notre organisme sait par expérience que la saveur sucrée est synonyme d'apport énergétique. Lorsqu'il la détecte, le foie se prépare donc à l'absorption de sucre en réduisant la transformation des réserves de protéines et de glucides. Cependant, si ce changement n'est pas suivi d'un apport de vrai sucre, le foie crie famine et transmet au cerveau un message en ce sens. Plusieurs études ont montré que la sensation de faim provoquée par des édulcorants de synthèse pouvait durer quatre-vingt-dix minutes, même si le corps avait déjà absorbé suffisamment de nourriture. Ainsi, ceux qui, pour suivre un régime, remplacent les boissons sucrées par des produits *light* mangent-ils plus qu'il n'est besoin.

## *Comment se désaltérer correctement*

Règle de base : buvez un grand verre d'eau (un quart de litre) une demi-heure avant chaque repas (au petit déjeuner, au déjeuner et au dîner), et autant deux heures et demie après. C'est un minimum. Pour que votre organisme ne soit pas déshydraté, vous devriez boire deux verres d'eau de plus pendant un repas copieux, et encore un au coucher.

## *Les vertus de l'eau du robinet*

L'idéal est de boire tout simplement l'eau du robinet. Si elle sent la Javel, laissez-la reposer dans une cruche : au bout d'un moment, le chlore qu'elle contient s'évaporera et son odeur et son goût disparaîtront. En raison de leur effet déshydratant, l'alcool, le café, le thé noir et les boissons à base de caféine ne sauraient remplacer l'eau. Il existe une façon précise de calculer la quantité d'eau minimale que vous devez boire : comptez 30 millilitres par kilo de poids corporel, soit 2 litres par jour pour 66 kg. Si vous ingérez cette quantité sous forme d'eau pure, vous ne ressentirez pas le besoin de boire davantage, et vous éviterez ainsi les excès de bière ou de vin en soirée.

## *L'eau coupe-faim*

Posez un très grand verre d'eau sur votre bureau, ou même une bouteille. Vous prendrez vite l'habitude d'en boire régulièrement une gorgée, ce qui supprimera vos fringales et vos envies de friandises.

## *De l'eau chaude en hiver*

En hiver, remplacez la bouteille d'eau fraîche par un thermos d'eau chaude. C'est l'une des prescriptions les plus époustouflantes de la voie de la simplification : au bout d'une semaine à peine, un verre d'eau chaude vous réveillera autant qu'une tasse de café ou de thé. L'eau chaude est également idéale pour soigner un début de rhume ou une voix enrouée – ce qui est d'ailleurs un grand classique de l'ayurveda, médecine originaire de l'Inde.

## *Pourquoi il ne faut pas supprimer le sel*

De nombreux régimes permettent de perdre rapidement du poids en supprimant le sel de l'alimentation. C'est là encore un leurre dangereux, car la « réussite » de ces régimes se réduit en fait à une déshydratation. En outre, si l'apport en sel est longtemps insuffisant, il pourrait se former dans certaines cellules un acide susceptible d'endommager la structure de l'ADN et de provoquer un cancer.

L'eau et le sel pourraient jouer également un rôle déterminant dans l'asthme et les allergies. Ces deux éléments font en effet chuter la production d'histamine, un neurotransmetteur qui est à l'origine de la plupart des réactions allergiques. Enfin, le sel maintient une certaine humidité à l'intérieur des poumons, indispensable au passage de l'air et à l'expulsion des mucosités. Uriner beaucoup accroît l'expulsion de déchets via l'urine, d'où la nécessité de boire suffisamment. De même, l'hydratation des selles est un moyen de lutter contre la constipation.

## *Des plats suffisamment salés*

Veillez donc à augmenter votre apport de sel parallèlement à votre consommation d'eau. Si vous buvez deux litres d'eau par jour, votre organisme a besoin de trois grammes de sel environ. Attention cependant, si vous consommez trop de sel, vous allez gonfler. Parmi les symptômes d'une carence dans cet élément, citons les crampes musculaires nocturnes, celles des muscles qui ne travaillent pas, et les vertiges. Le Dr Batmanghelidj rappelle, pour conclure, une évidence : l'eau est le médicament le moins cher pour traiter un organisme déshydraté. Un apport d'eau régulier et suffisant permet de prévenir de nombreuses maladies. Il se pourrait qu'il en soit ainsi dans le cas du diabète, de l'infarctus du myocarde, des ulcères gastriques et intestinaux, des sinusites chroniques et tant d'autres encore, souvent d'origine partiellement psychosomatique.

## *Du sel et de l'eau pour mieux dormir*

Le Dr Batmanghelidj a en outre obtenu d'excellents résultats chez des patients souffrant de troubles du sommeil avec une suggestion toute simple : boire un verre d'eau avant de s'endormir, puis mettre très peu de sel sur la langue (que l'on doit garder aussi « détendue » que possible, et que l'on ne doit pas passer sur les gencives). La combinaison de ces deux gestes, en modifiant l'intensité de la décharge électrique cérébrale, entraîne le sommeil.

## *Le verre d'eau de l'orateur*

Si vous devez de temps en temps parler en public, voici une astuce utile : si vous perdez le fil de votre discours, taisez-vous pendant quelques secondes, prenez le verre d'eau placé devant vous et buvez un peu. Cela étant, même si on n'en connaît pas la raison, une bonne gorgée d'eau fraîche clarifie l'esprit. C'est pourquoi nous vous conseillons de toujours boire un verre d'eau avant de faire un discours, que vous ayez soif ou pas. Dans plus de 90 % des cas, vous retrouverez le fil de vos pensées après cette courte pause. Si par malchance ces tentatives échouaient, demandez ouvertement à votre auditoire : « Où en étais-je ? » Personne ne vous en tiendra rigueur !

# CINQUIÈME IDÉE : DÉTENDEZ-VOUS

Nous veillons trop, ce qui fatigue. Les adultes dorment par 24 heures plus de 70 minutes de moins que leurs grands-parents, et l'écart atteint même 90 minutes chez les enfants et les adolescents si on les compare à ceux de 1910. De nombreux troubles du système immunitaire, bien des infections, maladies nerveuses, migraines et allergies actuelles ont ainsi une explication toute simple : le manque de sommeil. En effet, selon les scientifiques, le sommeil « recharge les batteries » de l'organisme, celles du cerveau notamment. Il mobilise les réserves mentales, « remonte le moral », accroît la réactivité et améliore l'ensemble des performances.

John M. Taub, spécialiste du sommeil à l'université de Virginie (États-Unis), l'a prouvé dans l'une de ses études, en 1976 : après un petit somme, les dormeurs testés étaient de 15 % plus « présents » mentalement et faisaient un tiers d'erreurs de moins ; ils étaient en outre de meilleure humeur, moins angoissés, et leur tonus était nettement plus élevé. Il a été médicalement prouvé également qu'un manque ou un excès de sommeil très importants sont, comme tous les excès d'ailleurs, mauvais pour la santé. Selon les études approfondies du chercheur berlinois Karl Hecht, une durée de sommeil quotidien inférieure à quatre heures ou supérieure à dix heures peut même être nocive au point de doubler le taux de mortalité. Sur la base de ces données, débarrassez-vous de vos vieilles habitudes et définissez votre propre dose optimale de sommeil, répartie – autant que possible – entre une longue phase nocturne et de petits sommes dans la journée.

## Les mini-sommes

Voici les meilleures façons de se détendre vraiment.

### *La norme napoléonienne*

Le credo de Napoléon Ier en matière de sommeil nocturne était le suivant : « Quatre heures pour un homme, cinq pour une femme et six pour un imbécile. » L'Empereur lui-même dormait très peu la nuit, mais il se rattrapait en faisant plusieurs petites siestes réparties dans la journée. Important : pour compenser un manque de sommeil, c'est moins la durée des sommes réparateurs qui importe que la fréquence de l'endormissement. Ce serait en effet au moment précis de l'endormissement que seraient sécrétées les hormones de croissance, qui permettent de récupérer.

### *La formule de Léonard de Vinci*

On dit que Léonard, génie universel de la Renaissance italienne, renonçait entièrement à dormir la nuit pendant ses périodes de travail intense et de grande créativité, se contentant de faire un petit somme de quinze minutes toutes les quatre heures. Claudio Stampi, spécialiste du sommeil à l'université de Harvard, a découvert que cette façon de faire permet d'être extrêmement productif (pendant un temps limité). Les navigateurs mettent eux aussi cette règle à profit pendant les régates. La solution la plus efficace consiste pour eux à faire trois siestes de vingt-cinq à trente minutes chacune et à « jeter l'ancre » en faisant un somme nocturne de quatre-vingt-dix minutes (cette durée plus longue signifiant à l'organisme que c'est la nuit). Cela n'est toutefois valable que dans des situations exceptionnelles et transitoires.

## *Moments propices pour bien dormir*

Il existe deux moments de la journée où il est vraiment difficile de s'endormir : le matin entre 10 heures et 11 heures, et le début de la nuit, entre 20 heures et 21 heures. Aussi est-il conseillé d'exclure ces plages horaires de vos heures de sommeil. Toutes les quatre-vingt-dix minutes en revanche apparaît dans le cerveau un créneau idéal pour entreprendre un petit somme réparateur. Ce moment précis est facile à déterminer : le meilleur moment pour faire une sieste est tout simplement celui où l'on se sent le plus fatigué.

Que cet instant se présente et le cerveau réagit : on est fatigué, on bâille, on a la tête et les paupières lourdes, les réflexes sont ralentis, on se frotte les yeux, on lutte pour garder la tête droite, on se sent mou, apathique, on n'arrive pas à se concentrer, les idées vagabondent. En s'octroyant le luxe d'une petite sieste, on ne lutte plus contre l'organisme, on est au contraire en phase avec lui. Résultat : on a davantage de vitalité, on se sent plus frais, plus alerte.

### *Manquez-vous de sommeil ?*

Faites ce test. Vous souffrez véritablement d'un manque de sommeil si :

- lorsque vous vous allongez dans la journée, vous vous endormez en moins de dix minutes (chez les adolescents et les jeunes adultes, ce laps de temps peut être encore plus court) ;
- vous somnolez dans le bus ou dans le métro ;
- vous remarquez soudain, au beau milieu d'une réunion ou d'une conférence, que vous n'avez pas enregistré la dernière phrase de l'orateur.

Que faire donc contre le manque de sommeil ? Dormir régulièrement au moins sept heures par nuit, et faire une petite sieste l'après-midi chaque fois que possible. Si besoin, vous pourrez compenser un sommeil vraiment insuffisant en récupérant le week-end. Inutile, en revanche, de faire des « provisions de sommeil », cela ne sert à rien. Pour compenser un manque de sommeil exceptionnel, enchaînez plutôt deux ou trois nuits de huit heures. Enfin, n'essayez pas de compenser un défaut de sommeil important en dormant énormément les jours suivants, car cela risquerait de vous rendre mélancolique, voire dépressif, et apathique.

## *Comment réussir sa sieste*

### 1. Assumez votre décision

Ne culpabilisez pas à l'idée de faire un petit somme. Plus votre approche sera positive, plus celui-ci sera bénéfique. Si votre supérieur hiérarchique ou vos collègues ne sont pas d'accord, défendez votre point de vue : « En faisant régulièrement la sieste, on est moins souvent en arrêt maladie. La sieste du début d'après-midi correspond à un besoin physiologique et à un biorythme. »

Une étude réalisée sur une longue période par la faculté de médecine de l'université d'Athènes a en outre montré très clairement que la sieste diminue le risque d'infarctus. En Allemagne, certaines sociétés comme SAP ou Siemens ont constaté, après avoir aménagé des salles de repos pour leur personnel, que celui-ci était devenu nettement plus performant.

### 2. Faites la sieste régulièrement

Essayez si possible de faire toujours votre sieste à la même heure et dans les mêmes conditions. L'idéal est de dormir l'après-midi entre 14 heures et 17 heures, pendant au moins quatre minutes. À ce moment-là, la proportion de sommeil profond est en effet plus de deux fois plus importante qu'à d'autres moments de la journée. Si vous n'avez aucune possibilité de dormir dans le cadre de votre activité professionnelle, peut-être pouvez-vous caser un petit somme entre la fin de votre travail et le début de la soirée ?

### 3. Respectez un rituel immuable

Si vous reproduisez chaque jour les mêmes gestes dans les mêmes conditions, votre cerveau va apprendre à les reconnaître, ce qui facilitera un endormissement rapide. Asseyez-vous dans votre fauteuil, prenez un coussin, décrochez le téléphone, desserrez vos vêtements, faites quelques mouvements pour vous étirer et détendre vos muscles, lisez un petit texte de méditation, bref, trouvez votre propre recette...

## 4. Choisissez un endroit agréable

Dormez dans une pièce tranquille, dans laquelle vous vous sentez en sécurité. Choisissez un lieu calme, plongé dans une demi-obscurité, et pas trop chaud (température idéale : entre 16 et 18 °C).

## 5. Préférez la qualité à la quantité

Pour que votre petit somme vous détende et vous ressource bien, le moment de votre endormissement est plus important que le temps de sommeil. Une microsieste commencée au moment optimal (c'est-à-dire au début d'un créneau favorable au sommeil) sera aussi bénéfique sinon plus qu'une très longue. La durée idéale de ces petits sommes est comprise entre quatre et vingt minutes.

## 6. Dormez n'importe où

Adoptez la position du cocher, assis(e), les jambes écartées. Penchez légèrement la tête et le buste en avant, les mains et les avant-bras posés sur les cuisses et les genoux.

Dans une salle d'attente, dans le train ou dans d'autres situations du même type, asseyez-vous le dos droit, bien calé(e), la tête inclinée en avant ou en arrière. Important pour la circulation : ne croisez pas les jambes.

Au bureau : croisez les bras sur la table, et posez la tête dessus. Variante : installez sur une table, en guise de coussin, votre sac ou votre attaché-case (plat et pas trop dur), ou encore un pull-over ou une veste repliés, mettez vos bras autour et posez la tête dessus.

### 7. Laissez-vous bercer par un bruit régulier

Écoutez une musique qui incite à la méditation, ou le bruit du ventilateur ou le ronronnement du climatiseur. Plus les enchaînements sonores sont réguliers et attendus, plus on s'endort facilement. Vous pouvez aussi vous imaginer, si cela vous chante, dans une paillote sur les îles Fidji, au bord de l'océan Pacifique, en train d'écouter le doux ressac de la mer, ou le chant des cigales...

### 8. Mangez bien !

Les repas riches en glucides facilitent l'endormissement et allongent la durée du sommeil : un morceau de pain, des pommes de terre, une petite sucrerie, un verre de lait, peuvent ainsi vous apporter une aide précieuse. Évitez toutefois d'absorber de grandes quantités de liquide avant de dormir.

### 9. Sachez vous réveiller

Ne vous levez pas brusquement au réveil. Un conseil : comptez autant de temps pour vous réveiller que pour vous endormir. Respirez profondément (inspiration + expiration), étirez-vous, bâillez, cela vous aidera à émerger. Aspergez-vous le visage d'eau froide (c'est très bon aussi en cas d'hypotension), brossez-vous les dents, buvez un verre d'eau fraîche et prenez un en-cas léger et protéiné (un yaourt, par exemple) : cela incite le cerveau à déclencher la production de substances stimulantes.

10. Êtes-vous farouchement contre les petites siestes ?

Si oui, ce message est pour vous. Vous êtes nombreux à vous sentir fourbus après un petit somme et à préférer y renoncer.

Sachez cependant que tout le monde peut tirer parti d'une sieste, même vous. En règle générale, il suffit de quatre à cinq jours pour transformer le plus rebelle détracteur en farouche partisan. C'est d'autant plus important si l'on ressent les effets de l'âge et si on a l'impression de ne plus être aussi performant qu'avant. Chez les plus récalcitrants, la phase d'accommodation dure une vingtaine de jours. Après ce laps de temps, on se sent frais et dispos après une sieste de courte durée, à condition de l'inscrire dans un planning quotidien.

## Retrouvez la joie du matin

Seuls 8 % de la population sont de véritables « oiseaux de nuit » dont il ne faut pas attendre grand-chose le matin. Selon une importante étude menée conjointement par des universités anglaises et américaines, la grande majorité des êtres humains appartiennent à une catégorie « mixte » et flexible. En d'autres

termes, ceux qui râlent le matin ne sont pas vraiment faits pour la nuit, mais ils s'en sont tellement persuadés qu'ils ont fini par le croire. Nous pouvons presque tous vaincre cette morosité et cette hargne matinales, si nous nous en donnons les moyens.

## *Prenez quelque chose de chaud avant de vous lever*

Pendant la nuit, votre corps perd entre un et deux litres d'eau. Plus tôt vous comblerez ce déficit, mieux ce sera. L'idéal est de boire à jeun deux verres d'eau minérale. Si vous préférez les boissons chaudes, préparez la veille au soir un thermos de tisane ou de bouillon que vous placerez à côté de votre lit, et buvez un peu le matin avant de vous lever.

## *Étirez-vous*

Suivez l'exemple des chats et des chiens ! Après huit heures de sommeil, vos muscles, vos ligaments et vos tendons se sont légèrement raccourcis. En vous étirant alors que vous êtes encore au lit – pas de règle précise, faites simplement les mouvements qui vous font du bien –, vous envoyez un signal à votre organisme : oxygénation accrue, production d'hormones euphorisantes, muscles prêts à l'action. Étirez-vous bien pendant cinq minutes.

Un conseil des sages-femmes aux femmes enceintes qui se sentent épuisées : levez les bras, étirez-vous jusqu'au bout des doigts, puis fermez les poings et étirez à nouveau vos doigts énergiquement. Refaites l'exercice dix fois. En faisant ces mouvements, on relance la circulation sanguine, un peu à la façon d'un moteur Diesel que l'on fait chauffer avant de rouler.

### *Pratiquez l'aromathérapie*

Posez votre parfum préféré sur la table de nuit. Dès que le réveil a sonné, avant toute chose, vaporisez le dos de votre main et laissez monter jusqu'à vos narines la « senteur de la journée ». Ce conseil est aussi valable pour les hommes. Si vous voulez essayer les huiles essentielles, sachez que la camomille, la lavande, la menthe poivrée, le romarin, le genièvre et le citron sont particulièrement toniques.

### *Soyez positif*

Chaque matin, au réveil, l'écrivain américain Henry David Thoreau se posait les trois mêmes questions : « Qu'y a-t-il de positif dans ma vie ? De quoi puis-je me réjouir ? De quoi devrais-je être reconnaissant ? » Les réponses qu'il apportait le rendaient joyeux et dynamique pour la journée.

### *Prenez votre temps*

Selon le médecin et psychologue américain Reid Wilson, si vous êtes d'humeur dépressive au réveil, c'est peut-être parce que vous refusez inconsciemment certains aspects de la routine quotidienne. Devant tout ce que peut vous apporter la journée, vous adoptez une attitude négative. Il est temps d'analyser clairement la situation : qu'est-ce qui vous agace le matin et, surtout, qui ? Peut-être avez-vous besoin de davantage de tranquillité ? N'hésitez pas dans ce cas à vous lever plus tôt pour avoir du temps pour vous. Le facteur temps est un élément clé pour bien commencer la journée. Si, de bon matin, vous êtes déjà sous la pression de la trotteuse, vous imposez à votre corps et à votre esprit le rythme très dangereux de la course contre la montre. Rallongez donc d'une demi-heure votre programme matinal. Ménagez-vous du temps rien que pour vous, appréciez le moment passé dans la salle de bains, prenez tranquillement votre petit déjeuner en vous installant, s'il fait beau, sur le balcon ou la terrasse : vous pourrez ainsi faire des réserves de détente et de bonheur pour le reste de la journée.

## *Préparez le lendemain*

Optimisez votre « rampe de lancement » : la veille au soir, sortez vos vêtements, préparez vos outils de travail et mettez la table pour le petit déjeuner. Une salle de bains propre, bien rangée, joliment éclairée, où règne une odeur agréable est importante aussi pour bien attaquer la journée. Veillez à ce qu'il y ait toujours dans cette pièce une chose qui vous fasse plaisir : une radio préréglée sur votre station préférée, un bouquet de fleurs, des serviettes bien chaudes sur le radiateur, etc.

### *Prenez une douche froide pour vous réveiller*

Si vous voulez que la douche vous réveille, ne comptez pas sur l'eau chaude : terminez par un jet froid (15 °C). L'idéal est de laisser couler un filet d'eau froide et de l'approcher progressivement de votre cœur, selon la méthode du Dr Kneipp : d'abord la jambe droite, puis le bras droit, puis la jambe gauche, puis le bras gauche, le dos et, enfin, la poitrine. Le choc sera nettement moindre si vous avez de l'eau froide dans la bouche pendant ce temps.

### *Allez chercher le journal*

Petit conseil dans le droit fil de la voie de la simplification : lorsque vous allez chercher le journal le matin, enfilez une veste et transformez cette expédition éclair en une promenade de quelques minutes. Le fait de prendre l'air à jeun active la circulation et élève le métabolisme.

### *Buvez du thé vert*

Le thé vert est sorti grand vainqueur d'une étude approfondie réalisée par les médecins du sport de l'université de Chicago : il est la boisson idéale du petit déjeuner. En effet, il déshydrate moins que le thé noir ou le café (sans compter que ce dernier entraîne une hyperacidité) tout en augmentant le taux de sérotonine, l'hormone de la bonne humeur.

À ce stade, vous avez effectué quelques pas essentiels sur la voie de la simplification. Vous avez à présent conscience des mille petites améliorations qui émaillent le long chemin vers votre objectif personnel. Vous voilà désormais prêt (ou prête) à appliquer de semblables règles à un autre pan de votre vie : celui de vos relations sociales.

# SIMPLIFIEZ VOS RELATIONS SOCIALES

## 5e étage de la pyramide

## Vos rêves de simplification : deuxième nuit

Laissant derrière vous les miroirs et les canalisations de l'étage précédent, vous regardez pour la première fois vers le sommet de la pyramide de votre vie. Vous ressentez une certaine fierté en contemplant la taille de l'édifice. En même temps, vous prenez conscience de la solitude dans laquelle vous vous trouviez jusqu'à présent. Toutefois, en vous retournant, vous éclatez de rire car vous comprenez d'où vient cette impression : maintenant, derrière vous et à vos côtés, il y a foule. On vous salue à voix haute, des amis vous tapent sur l'épaule : ce sont de joyeuses retrouvailles avec des personnes que vous aviez déjà presque oubliées. Tandis qu'elles vous embrassent et vous bombardent de questions, vous voyez à l'arrière-plan d'autres connaissances qui vous attendent.

Votre vie ne se résume pas à votre seule existence. Des milliers d'autres vies sont liées à la vôtre. Vous aviez sans doute imaginé cet étage moins encombré. Or, vous voyez vos parents, vos grands-parents et, au loin, vous croyez même apercevoir leurs propres parents. Quantité de gens auxquels vous avez été lié(e) ne sont plus en vie mais, à cet étage qui paraît immense, il n'y a aucune distinction entre les vivants et les morts : tous ceux que vous avez connus s'y trouvent. Les différences de statut social n'ont pas d'importance non plus : vous voyez autour de vous d'anciens professeurs, des supérieurs hiérarchiques, des collaborateurs qui vous sont reconnaissants, et aussi des personnes envers lesquelles vous vous sentez plus ou moins coupables. Vous voyez vos enfants, mais aussi, peut-être, ceux que vous auriez pu avoir. Parfois, vous croyez même apercevoir ceux que vous aurez un jour...

Autour de vous gravitent des gens que vous avez aimés, mais avec lesquels vous n'êtes plus en contact. Vous sentez cependant à quel point vous êtes encore lié(e) à eux. La seule personne qui manque à l'appel, c'est votre partenaire actuel ! Mais, en levant les yeux, vous réalisez qu'il ou elle vous attend patiemment à l'étage au-dessus. Vous vous jetez alors à corps perdu dans le tumulte de l'étage où vous vous trouvez.

Connaissez-vous le sentiment merveilleux de voir un problème se résoudre de façon magique parce qu'on en parle à quelqu'un ? De recevoir un coup de pouce inattendu ? Ou encore de pouvoir rendre service à autrui ? Une existence dépourvue de relations de ce type est pauvre et difficile, alors qu'une vie entourée d'amis est simple et riche. La plupart des méthodes simplificatrices que nous proposons voient leurs effets se multiplier quand on les essaie et les applique à plusieurs.

Nous allons maintenant vous expliquer comment rencontrer les personnes avec lesquelles vous pourrez avoir ce type d'échanges.

## PREMIÈRE IDÉE :
## SORTEZ DE VOTRE ISOLEMENT

---

En feuilletant les pages *people* de certains magazines, vous remarquerez que les personnalités se rencontrent très souvent entre elles. C'est le secret de la constitution des réseaux de relations, ce que l'on appelle le *networking*. Vous pouvez avoir écrit un best-seller, réalisé une excellente prestation à la télévision, donné des conférences mémorables ou fait une carrière fulgurante, si vous vous retranchez dans la sphère étroite de votre vie privée, votre succès ne sera que feu de paille. En règle générale, dans la vie professionnelle, on ne gravit pas les échelons sans le *networking*, c'est-à-dire sans faire jouer les relations. Ce qui n'était autrefois qu'un système artisanal s'est mué aujourd'hui en une véritable technique. Il ne s'agit pas de clientélisme, mais d'une situation qui profite en vérité à tous les intervenants.

Évitez de vous poser des questions du style : « Ne cherchent-ils pas à m'utiliser ? » Faites confiance à votre instinct, à la sympathie et à l'antipathie que vous éprouvez. Si quelqu'un vous plaît, consacrez-lui du temps, qu'il s'agisse d'un client, d'un collègue ou d'une vague connaissance. Faites-vous des amis parmi ceux que vous appréciez, et pensez en termes de réciprocité. Ne vous demandez pas seulement : « Jusqu'à quel point peut-il m'aider ? », mais aussi :

« En quoi puis-je lui être utile pour qu'il ait envie d'entretenir des relations avec moi ? »

*Règle de base n° 1 :* gardez le contact. Si vous ne parlez pratiquement pas à un collègue pendant trois mois, il sera difficile de vous en faire un copain le mois suivant.

*Règle de base n° 2 :* ne brusquez pas les choses. Laissez aux autres la possibilité de venir d'eux-mêmes vers vous. Ne leur sautez pas dessus, approchez-les petit à petit.

*Règle de base n° 3 :* ne vous en remettez pas entièrement au hasard. Les contacts sociaux doivent être planifiés et organisés, même si la véritable amitié n'est pas quelque chose que l'on peut forcer, mais plutôt un don du ciel.

Voici quelques conseils pour vous constituer un réseau de relations.

## Invitez à jour fixe

Simplifiez les invitations avec les collègues, amis et connaissances qui n'ont jamais le temps : déterminez un soir par mois où vous ouvrez votre maison à tous, le premier vendredi du mois, par exemple. Ne mettez pas la barre trop haut en ce qui concerne le repas.

Vous ne saurez jamais exactement combien d'invités vous allez avoir, et vous allez sans cesse devoir improviser, mais c'est ce qui fait le charme de ce style de soirées. Si cela vous donne trop de travail ou si le nombre d'invités vous paraît trop aléatoire, vous pouvez adopter une solution intermédiaire : fixez un jour dans le mois pour recevoir, mais sélectionnez vos invités.

## Réservez une journée à la famille

La technique du jour fixe peut également s'appliquer aux parents, grands-parents, beaux-parents, frères et sœurs, oncles et tantes : organisez une fois par an une grande réunion de famille. Cela permet de voir tout le monde et de raviver les liens avec les parents éloignés. Ce type de réunion réduit en outre considérablement le nombre de repas familiaux individuels et permet à ceux qui sont les plus isolés de reprendre contact.

## Facilitez les nouvelles rencontres

Lorsque vous organisez une soirée, un séminaire, une fête de famille ou autre rencontre, évitez de réunir uniquement des gens qui se fréquentent déjà. S'il s'agit d'un dîner, vous pouvez jouer sur le plan de table pour favoriser le *networking*. Organisez des jeux qui obligent les convives à se mélanger. Lorsque vous annoncez que le buffet est ouvert, précisez clairement l'objectif en disant, par exemple : « Profitez de l'occasion pour faire de nouvelles connaissances ! » Une suggestion de ce style incitera bien des gens à briser la glace.

Dans le cadre de grandes réunions où de nombreuses personnes ne se connaissent pas, n'hésitez pas à distribuer des badges. Demandez à chaque participant de personnaliser le sien avec une inscription énigmatique ou un rébus (facile). C'est un moyen amusant d'aider à adresser la parole à des inconnus.

## Associez cuisine et relations sociales

Réfléchissez avec quels amis vous pourriez faire la cuisine. Fixez ensuite une date pour partager un dîner, préparation du repas incluse : ainsi vous ne serez pas seul(e) dans votre coin à stresser et à cuisiner. Vous pourrez en outre profiter de ce moment pour tisser de nouveaux liens et peut-être apprendre aussi quelques nouvelles astuces culinaires. De plus, si vous préparez des quantités suffisantes pour pouvoir mettre de côté une ou deux assiettes pour le lendemain ou le surlendemain, votre gain de temps sera encore plus appréciable.

## Faites la chaîne de l'amitié

Oprah Winfrey, l'animatrice vedette indétrônable de la télévision américaine, est à l'origine d'une idée qui a séduit les États-Unis, la fameuse *Kindness Chain*.

Chaque téléspectateur doit faire plaisir à une autre personne, si possible quelqu'un qui ne s'y attend pas : il doit lui envoyer des fleurs, un livre, un CD ou autre cadeau, lui rendre visite, lui acheter quelque chose, l'inviter à manger, bref, faire un geste sympathique.

Plus l'idée est originale, mieux c'est. Une seule condition : le destinataire ne doit pas rendre la pareille à la personne qui lui a fait cette gentillesse, mais faire plaisir à quelqu'un d'autre, et ainsi de suite de façon à former une chaîne. Cette initiative a eu des résultats extrêmement positifs : depuis les fleuristes qui s'étonnent d'avoir de nouveaux clients jusqu'aux ennemis jurés qui tombent dans les bras l'un de l'autre. L'idée présente en outre l'avantage d'être réalisable dans n'importe quel pays. Et pas besoin d'une animatrice de télévision pour la mettre en œuvre !

## Faites-vous inviter à des événements intéressants

C'est le plus souvent l'assistante du directeur ou le responsable du service Relations publiques qui s'occupe des invitations aux grandes fêtes d'entreprise. Trouvez leur nom et dites-leur ouvertement que vous aimeriez vraiment assister à la soirée qu'ils organisent. En règle générale, les organisateurs se réjouiront de l'intérêt que vous portez à l'événement, et cela compensera le nombre de ceux qui assistent uniquement à ce genre de festivités par obligation. Pendant la soirée, allez vers les personnes qui vous ont permis d'être de la partie, et remerciez-les. Si vous leur plaisez, vous figurerez sans doute sur leur prochaine liste d'invités.

## Sachez vous comporter lors d'une soirée

Ne vous en remettez pas entièrement au hasard ; fixez-vous des objectifs. Dites-vous, par exemple : « Si je parle au moins cinq minutes au professeur X, il devrait ensuite se souvenir de moi », ou encore : « Pour une fois que nous ne sommes pas dans le cadre stressant du bureau, je vais en profiter pour faire plus ample connaissance avec Y afin que nos relations soient moins tendues. » Une fois ces décisions prises, restez ouvert(e) à de nouvelles rencontres. Considérez avant tout chacune d'elles comme un jeu, un moment de détente, et non un prolongement du travail sous d'autres formes. Veillez à ce que les échanges soient équilibrés. Écoutez, mais intervenez aussi dans la discussion. Intéressez-vous à votre interlocuteur sans le soûler de questions. Racontez sur vous-même ce que vous aimeriez apprendre sur les autres. Cherchez un sujet de conversation qui permette de briser la glace : une cravate originale, une belle broche ou, pourquoi pas, une paire de chaussures très élégante. N'hésitez pas à entamer le dialogue à partir d'un sujet banal (en faisant l'éloge du buffet ou en parlant de la pluie et du beau temps…). L'essentiel est que cet entretien ne se résume pas à ces banalités initiales.

## *Soyez un(e) invité(e) modèle*

C'est grâce aux invitations que vous nouerez les contacts les plus importants de votre vie professionnelle et privée. De précieuses amitiés peuvent ainsi voir le jour, mais aussi des animosités durables et bien ancrées, généralement à cause d'une simple maladresse. Pour éviter ce type de problème, mettez-vous à la place de votre hôte, et réfléchissez à ce que vous attendriez de vos invités.

## *Répondez aux invitations*

Lorsque vous recevez une invitation par écrit, vous devez toujours confirmer votre venue, même si ce n'est pas spécifié sur le carton. La fameuse formule « RSVP » est parfois, en fait, une façon polie de vous demander votre concours (comprenez : « Veux-tu me donner un coup de main pour les préparatifs, car je dois faire les courses, et je manque de chaises ? »).

## *Offrez des fleurs*

Quand on ne veut pas arriver les mains vides, un bouquet de fleurs (plutôt qu'une plante en pot) est une valeur sûre. Ce geste bien intentionné entraîne cependant toujours un stress supplémentaire pour l'hôte, qui doit retirer l'emballage, chercher un vase, couper les tiges et mettre les fleurs dans l'eau. Pour lui éviter ce tracas, vous pouvez opter pour une composition toute prête où les fleurs sont piquées sur un bloc de mousse. Il suffit alors d'humidifier celle-ci régulièrement pour que l'ensemble tienne aussi longtemps qu'un bouquet classique. Lorsque vous choisirez vos fleurs, évitez toutefois :

- les œillets, que beaucoup trouvent démodés ;
- les roses rouges, à réserver pour une déclaration d'amour ;
- chrysanthèmes et autres fleurs dites « de cimetière ».

Pourquoi les fleurs resteraient-elles l'apanage des femmes ? Vous pouvez également en offrir à un homme. D'autant qu'une note de couleur et de fraîcheur est souvent la bienvenue dans les appartements de célibataires. Si votre hôte proteste, affirmant qu'il ne fallait rien apporter, sachez que c'est par pure politesse, et n'hésitez pas à venir à nouveau avec un bouquet la fois suivante !

## *Soyez ponctuel(le)*

Attention, être ponctuel ne signifie en aucun cas arriver en avance ! Le mieux est d'arriver cinq minutes après l'heure spécifiée sur l'invitation, mais guère plus tard. Ainsi, vous ne gênerez pas votre hôte dans ses préparatifs de dernière minute, et vous ne le ferez pas attendre non plus trop longtemps.

## *Sortez de votre réserve*

Les invités « timides » qui attendent que leur hôte prenne toutes les initiatives sont pour ce dernier une source de stress. Alors, sortez de votre coquille ! Si dans un dîner vous ne connaissez personne, parlez à votre voisin. La façon la plus simple de l'aborder est de lui demander quels liens il a avec le maître de maison, ce qui mène souvent très vite à d'autres sujets de conversation. Ne bavardez pas avec la même personne pendant toute la soirée. Enfin, lorsque celui qui vous a invité(e) propose de passer à table, n'ayez aucun scrupule à être le premier à le faire. Ce que l'on prenait autrefois pour une marque de politesse est aujourd'hui plutôt perçu comme l'art de compliquer les choses.

Aidez votre hôte, facilitez-lui la tâche : allez vers les convives qui ont l'air timides et parlez avec eux.

### *Ne monopolisez pas vos hôtes*

Bavardez, bien sûr, avec vos hôtes, mais ne les prenez pas en otages ! Veillez à ce que tout le monde puisse les approcher. Dans les grandes fêtes, le maître de maison ne peut pas s'occuper personnellement de chacun de ses invités. Alors, à vous de prendre des initiatives ! Abordez les autres de façon ciblée, et profitez de chaque rencontre pour enrichir votre réseau de relations. Si vous avez envie de faire la connaissance d'une personne en particulier, demandez à votre hôte de vous présenter ; il le fera certainement très volontiers.

### *Évitez les sujets tabous*

Il existe, même dans nos pays, des sujets qu'il faut éviter pour ne pas mettre hôtes et invités mal à l'aise. Ainsi, ne faites pas de remarques désagréables sur la nourriture que l'on vous sert (« Ne savez-vous pas à quel point la viande de porc est mauvaise pour la santé ? ») ni sur des personnes présentes. Le prosélytisme d'un végétarien à côté d'un buffet de viande froide est tout simplement déplacé, si convaincu qu'il soit du bien-fondé de ses choix alimentaires. N'abordez pas, dès que vous arrivez quelque part, des sujets comme la politique, la religion, l'argent et la maladie et, surtout, renoncez à « éduquer » les enfants que vous ne connaissez pas !

## *Faites l'éloge du buffet*

Soyez élogieux (ou élogieuse), mais en toute honnêteté. Ainsi, si vous trouvez les amuse-gueule trop gras, dites quelque chose de positif sur le vin. Testez le buffet : garnissez peu votre assiette la première fois, afin de goûter aux mets qui vous inspirent. Dans tous les cas, restez maître de vous-même. Surtout, ne mettez jamais votre hôte dans l'embarras en étant ivre. Mettez-vous d'accord au préalable avec la personne qui vous accompagne pour quitter la soirée de façon décente si l'un de vous deux abuse un peu de la boisson. « De façon décente » signifie notamment que vous devez éviter de vous chamailler en public et d'entonner la litanie : « Tu as encore trop bu ! »

## *Partez au bon moment*

Partir trop tôt est tout aussi impoli que rester trop longtemps. Le plus simple est de suivre le mouvement. Ne partez en aucun cas sans prendre congé de vos hôtes et remerciez-les chaleureusement. Il est même conseillé de renouveler vos remerciements par la suite. Appelez votre hôte le lendemain pour le féliciter de la charmante soirée passée chez lui. Ce sera une excellente façon de prolonger la prise de contact (« Au fait, qui était cet excellent pianiste ? ») et de transformer éventuellement la rencontre d'un soir en relation amicale.

# DEUXIÈME IDÉE : DÉMÊLEZ L'ÉCHEVEAU FAMILIAL

Les relations familiales sont les plus complexes, les plus difficiles, mais aussi les plus importantes de la vie. Culpabilité, souffrance, agacement, amitié, amour et dépendance sont des thèmes que tous les individus pourraient développer, s'agissant de leur père ou de leur mère. Une multitude de sentiments, parfois contradictoires, vous lient aux personnes qui vous ont mis(e) au monde et, en particulier, à votre mère. Certains adultes en apparence très sûrs d'eux perdent tout leur aplomb en présence de leur mère, et rares sont les séances de psychothérapie qui n'abordent pas le thème des relations parents-enfants. Chaque année, au moment de Noël, la question des relations familiales devient du reste plus pressante que jamais…

## Prenez en compte l'âge de vos parents

Lorsque vous étiez enfant, vous trouviez vos parents « modernes », à la pointe de leur temps. En tant qu'adulte, vous devez toutefois comprendre qu'ils sont d'une autre génération que vous. Ce qui signifie, dans la plupart des cas, qu'ils ne peuvent pas aborder tous les sujets avec la même ouverture d'esprit que vous, et qu'ils ont un autre rythme de vie. Ne l'oubliez pas.

## Écoutez vos parents

Si vous n'êtes plus obligé(e) d'obéir à vos parents comme quand vous étiez enfant, vous devriez tout de même les écouter et avoir vis-à-vis d'eux la plus grande ouverture d'esprit possible. Faites-leur savoir que vous comprenez leur point de vue même si vous ne le partagez pas forcément. Parvenus à l'âge adulte, les gens ont parfois tendance à rester sous l'emprise de leurs parents et à les rabrouer sans cesse d'un : « Mais oui, tu me l'as déjà dit cent fois ! » De telles paroles blessent les personnes âgées bien plus qu'il n'y paraît.

## Intéressez-vous à l'histoire de vos parents

C'est une évidence, mais on l'oublie souvent : la vie de nos parents a commencé bien avant notre naissance. Demandez-leur de vous raconter le plus de choses possible sur leur jeunesse, cela vous permettra de mieux les comprendre. Partez de votre propre expérience pour leur poser des questions : « Parlez-

moi de votre premier amour… Comment vos parents vous ont-ils élevés ? Comment occupiez-vous votre temps libre quand vous étiez jeunes ? »

Demandez-leur de vous parler de l'ancien temps. Ce sont généralement les mères qui en savent le plus. De plus, les personnes âgées aiment évoquer le passé.

Ne vous contentez pas de raccourcis hâtifs (« J'ai eu une enfance difficile ») : demandez des anecdotes précises et posez des questions. Même si cela vous paraît rébarbatif sur le moment, recueillez toutes ces données, car c'est l'une des plus grandes richesses que vous puissiez à votre tour léguer à vos enfants. De tels échanges restent possibles même si vous entretenez des rapports tendus avec vos géniteurs.

## Ayez un dialogue facile avec vos parents

Un grand nombre d'adultes continuent d'entretenir avec leur père et leur mère les mêmes rapports que lorsqu'ils étaient enfants, et de ne jamais leur poser de questions, comme si tout coulait de source. Ils sont persuadés de pouvoir lire leurs désirs sur leur visage et ne mesurent pas à quel point ils se trompent. Quant aux parents, souvent ils n'osent pas contredire leurs enfants, ce qui peut être à l'origine de malentendus et d'amertume. Exemple : un fils invite sa mère à l'opéra pour son anniversaire parce qu'elle en rêvait autrefois, et il ne comprend pas que la vieille dame soit de mauvaise humeur. En fait, celle-ci a horreur de l'opéra : elle ne s'y intéressait que par égard pour son mari, mort entre-temps. Il aurait suffi tout simplement que son fils l'interroge sur son attitude pour éviter toute cette tension.

## Découvrez votre famille élargie

Si cela n'a jamais été fait, prenez contact avec les frères et sœurs de vos parents, ainsi qu'avec leurs proches et leurs amis. Si personne d'autre ne peut le faire, organisez vous-même des réunions de famille. Si certains sont fâchés entre eux, lancez, en tant que représentant(e) de la nouvelle génération, des tentatives de réconciliation et proposez des compromis, sans prétendre cependant être l'artisan de la paix. Travaillez dans l'ombre ; créez des occasions pour que les intéressés puissent se parler, car c'est à eux de s'expliquer. Mettre un terme à de vieux différends est le meilleur investissement que vous puissiez faire pour votre avenir et celui de vos enfants.

## Partagez les traits de caractère de vos parents

Il peut s'agir aussi bien de leurs qualités que de leurs défauts. En effet, vous êtes lié(e) à vos parents pour le meilleur et pour le pire, alors ayez l'honnêteté de voir leurs bons et leurs mauvais côtés… Sachez aussi que la fameuse phrase : « Je ne veux surtout pas finir comme mon père » est un vœu pieux car vous êtes bien trop proche de lui d'un point de vue génétique pour y échapper. Les psychologues le savent depuis longtemps : on ne se débarrasse jamais de ce que l'on refuse d'accepter. Vous pouvez tout au plus faire plus d'efforts que vos parents pour limiter les

« dégâts ». C'est ce qui se passe lorsque vous considérez les aspects négatifs de votre histoire familiale – mais admettez qu'elle est aussi la vôtre !

## Évitez les sources de conflit avec vos parents

Si la communication passe mal avec vos parents ou si elle s'est carrément interrompue, c'est nécessairement pour une raison précise. Peut-être ont-ils fait pression sur vous et n'avez-vous jamais réussi à surmonter ces tensions ? Ou bien votre mère voulait partir en vacances avec vous, et vous avez refusé – mais vous êtes tout à fait en droit de le faire ! Rendez-vous compte : vous vous rejoignez sur bien des plans, dans la plupart des domaines, mais vous êtes en désaccord sur un point précis. Penchez-vous donc sérieusement sur ce sujet épineux, généralement très sensible. N'essayez pas de clarifier les choses par téléphone (l'un des deux interlocuteurs peut à tout instant interrompre la communication) ; écrivez plutôt une lettre à l'intéressé, puis rendez-lui visite.

Dans le pire des cas, menacez seulement de couper les ponts temporairement. « Je n'aurai plus aucun contact avec toi pendant un an » est moins rédhibitoire que « Je ne veux plus jamais te voir », des paroles qui vous lient à jamais et dont vous porterez la culpabilité toute votre vie. Le temps ne guérit certes pas tous les maux mais, en matière de conflits humains aussi, il existe une sorte de prescription dont vous devriez pouvoir tirer parti.

# TROISIÈME IDÉE :
# PRÉPAREZ VOTRE ULTIME DÉPART

Cette idée vous paraît peut être macabre mais il y a de fortes chances pour qu'à la fin de votre vie vos facultés intellectuelles ne soient pas aussi intactes que vous le souhaiteriez. C'est pourquoi nous vous conseillons vivement de vous préoccuper de vos obsèques tant que vous êtes encore dans la force de l'âge.

## ORGANISEZ VOS OBSÈQUES

Après votre décès, vos proches devront prendre de nombreuses décisions alors qu'ils seront encore sous le choc. La différence entre le prix d'un cercueil simple et celui d'un modèle de luxe est exorbitante, et il en va de même pour tous les détails d'un enterrement. Vous pouvez donc être d'un grand secours à votre famille en précisant vos souhaits par écrit. Il vous suffit de griffonner une note de ce genre : « Choisissez, je vous prie, un cercueil tout simple, et enterrez-moi dans la tombe de mes parents, dans le cimetière Sud. J'aimerais beaucoup que vous chantiez mon cantique préféré. Après la cérémonie, invitez tous mes amis à l'auberge du Bois, et buvez un verre en pensant à moi. Vous savez que ce que j'aime par-dessus tout, c'est le gigot d'agneau accompagné d'un graves rouge. Ni fleurs, ni couronnes, faites plutôt un don à l'association X. Pensez à moi, mais ne cédez pas au désespoir. Je pars avec la certitude d'avoir mené une vie heureuse et bien remplie. »

## Mourez dans la dignité

Les médecins qui seront à vos côtés pendant vos derniers moments seront dans la même situation que vos proches : si vous ne pouvez plus vous exprimer en personne, ils seront obligés de faire tout ce qui est possible et imaginable pour vous maintenir en vie, même si cela risque de conduire à des aberrations. Si vous voulez évitez l'acharnement thérapeutique, vous pouvez signer la Charte des soins palliatifs mise au point par l'Association française des soins palliatifs (ASP) et l'Union nationale des associations pour le développement des soins palliatifs (UNASP), dont vous trouverez le texte ci-dessous. Vous pouvez aussi prendre contact avec l'une des nombreuses associations d'informations funéraires et d'accompagnement des malades en fin de vie.

### *Charte des soins palliatifs*

1. Les soins palliatifs sont des soins actifs dans une approche globale de la personne en phase évoluée ou terminale d'une maladie potentiellement mortelle ; prendre en compte et viser à soulager les douleurs

physiques ainsi que la souffrance psychologique, sociale et spirituelle devient alors primordial.

2. En plus du soulagement de la douleur physique, qui est un préalable, il faut prévoir un ensemble d'attitudes et de comportements adaptés à l'état du malade, souvent angoissé moralement et physiquement. Cela constitue l'accompagnement.

3. L'emploi nécessaire des moyens de lutte contre la douleur physique se fera avec le souci de ne pas altérer, autant que faire se pourra, la conscience et le jugement du malade.

4. Sont au même titre considérées comme contraires à cet esprit deux attitudes : l'acharnement thérapeutique et l'euthanasie. L'acharnement thérapeutique peut être défini comme l'attitude qui consiste à poursuivre une thérapeutique lourde à visée curative, qui n'aurait comme objet que de prolonger la vie sans tenir compte de sa qualité, alors qu'il n'existe aucun espoir raisonnable d'obtenir une amélioration de l'état du malade. Par euthanasie, on entendra toute action ayant pour dessein de mettre fin à la vie du malade ou de le priver, sans raison majeure, jusqu'à son décès, de sa conscience et de sa lucidité.

5. Une attitude générale de franchise vis-à-vis du malade, quant à la nature ou au pronostic de sa maladie, est généralement requise pour assurer l'accompagnement de la meilleure qualité possible. Toutefois, les circonstances psychologiques sont trop variées pour que cette recommandation puisse être formulée autrement qu'en termes généraux. Il s'agit d'un idéal auquel il convient de tendre.

6. Pour soutenir la personne en phase terminale, s'impose l'intervention d'une équipe interdisciplinaire comportant, autour des médecins, des membres des différentes professions paramédicales concernées

(infirmières, aides soignantes, psychologues, kinésithérapeutes, diététiciens, etc.). Y sont associés les représentants des différentes religions dont se réclameraient les malades hospitalisés. La prise en compte des besoins spirituels, particulièrement en cette phase de l'existence, paraît en effet essentielle, dans le respect le plus absolu des options philosophiques ou religieuses de chacun.

7. Les bénévoles qui acceptent d'apporter un soulagement au malade et de participer à son ultime accompagnement sont considérés comme des collaborateurs précieux de l'équipe de soins. Ils veilleront à ce que leur action n'interfère, en aucun cas, avec la pratique des soins médicaux et paramédicaux. Ils ne devront s'adonner à aucune pratique, technique ou méthode, présentés comme étant ou pouvant être une ressource thérapeutique substitutive, adjuvante ou complémentaire de celle prescrite par le médecin. Leur rôle est de conforter par leur présence attentive l'environnement social et affectif du malade et de son entourage. Les bénévoles auront été préparés spécialement à cette présence discrète et ils seront soutenus psychologiquement tout au long de leur action.

8. Un effort tout particulier pour accueillir et soutenir les familles est aussi considéré comme une des caractéristiques essentielles des soins palliatifs et de l'accompagnement en soins palliatifs. Il s'agit à la fois de permettre au malade de réaliser ses vœux ultimes et, s'il le désire, de renforcer et éventuellement de renouer ses liens affectifs lors de ses derniers moments. Il convient de préparer au deuil la famille et les proches et de les aider moralement après le décès.

9. Les équipes de soins palliatifs et d'accompagnement, quel que soit leur lieu d'exercice (unité spécialisée, fixe ou mobile, domicile, service hospitalier) auront à cœur de contribuer à la formation du person-

nel médical, paramédical et des bénévoles ainsi qu'à la propagation des principes énoncés dans la présente charte. Les adhérents à la charte susciteront la création de nouveaux foyers et l'adhésion de nouveaux participants à leur action.

Union nationale des associations pour le développement des soins palliatifs : UNASP.
Association française de soins palliatifs
ASP fondatrice
44, rue Blanche – 75009 Paris. Tél. : 01 45 26 58 58.

Association française d'information funéraire : infos@afif.asso.fr

## Réglez votre succession

Un grand nombre d'ouvrages pratiques conseillent de faire un testament. Sachez toutefois que le fait de rédiger vos dernières volontés ne simplifiera les choses que si vous les avez exposées à toutes les personnes concernées avant de mourir. Sinon, vous sèmerez avec votre testament plus de graines de discorde que vous ne le pensez. La solution la plus simple consiste à donner vos biens dès à présent. Si vous souhaitez léguer à vos parents ou amis certains objets ayant une valeur matérielle ou sentimentale, pourquoi attendre d'être décédé(e) pour le faire ? Donnez-les de votre vivant ; ainsi, les bénéficiaires non seulement auront la possibilité de vous remercier, mais ils emporteront, outre l'objet en question, un souvenir de vous, ce qui est bien plus précieux.

## TRANSMETTEZ L'HISTOIRE DE VOTRE FAMILLE

Les psychologues mesurent de plus en plus à quel point il est important d'avoir des informations sur ses ancêtres. C'est pourquoi nous vous enjoignons vivement d'écrire tout ce que vous savez sur vos parents et grands-parents, et sur les autres membres de votre famille. Les futures générations vous en seront infiniment reconnaissantes, même si vos enfants sont peut-être encore trop jeunes aujourd'hui pour apprécier la valeur de ce legs.

## QUATRIÈME IDÉE :
## NE SOYEZ NI ENVIEUX NI ENVIÉ

En vous comparant sans cesse aux autres pour savoir qui fait mieux que vous ou qui possède davantage, non seulement vous vous gâchez la vie, mais aussi vous compliquez inutilement celle des autres. La comparaison n'est pas mauvaise tant qu'elle n'entraîne pas le sentiment cuisant de s'en être moins bien sorti que l'autre, et d'avoir été, injustement, moins gâté par la vie. Peu importe qu'il s'agisse d'argent, de beauté, de valeur ou de réputation : on peut être envieux de n'importe quoi et jaloux de n'importe qui.

Des utopistes ont tenté, dans le passé, de trouver une solution politique au problème en supprimant le fondement même de l'envie, c'est-à-dire en s'efforçant de créer une société dans laquelle tout le monde posséderait exactement la même chose. Malheureusement, le projet a échoué : la jalousie subsistait toujours. C'est là un vice discret mais tenace qui complique la vie de tous, celle des envieux comme celle des enviés. Vous pouvez néanmoins y remédier, et cet effort peut même jouer un rôle moteur dans votre vie. Découvrez donc nos stratégies de lutte contre l'envie et appliquez-les à vous-même et aux autres.

## *Pesez le pour et le contre*

On n'envie jamais ce qui est négatif, seulement ce que l'on perçoit comme positif chez les autres. Comprenez une fois pour toutes, d'une part que la vie n'est entièrement rose pour personne et, d'autre part, que tout demande un effort. L'envieux veut avoir une chose sans en payer le prix. Tel merveilleux violoniste a gagné sa virtuosité et sa renommée en consacrant d'innombrables heures à la dure pratique de son art, à quoi s'ajoute souvent une enfance marquée par les privations. Lui enviez-vous aussi cela ? Un homme influent qui a beaucoup de pouvoir compte aussi de dangereux ennemis, dont il doit se protéger avec des gardes du corps et des systèmes d'alarme. Cela vous fait-il vraiment envie ?

## *Appliquez la méthode d'Ésaü*

L'envie naît souvent du dénigrement, du refus de reconnaître la valeur de l'autre. Pour contrer cette attitude négative, faites en toute conscience la démarche inverse, soyez bienveillant(e), accordez vos faveurs. En premier lieu, exercez-vous en répétant mentalement la phrase : « Je suis content(e) pour toi ! », jusqu'à ce que vous en soyez intimement convaincu(e).

Vous trouverez dans la Bible (Genèse, 33) une autre méthode qui a fait ses preuves : « J'ai amplement pour moi, mon frère ; que ce qui est à toi reste à toi ! » dit Ésaü à son frère Jacob, qui l'avait pourtant supplanté. Cette technique très efficace permet de réduire sa propre envie à néant et d'apprendre à avoir confiance en soi.

## *Suivez la maxime de Goethe*

« Face à la supériorité de quelqu'un, la seule solution est l'amour. » En faisant vôtres ces mots du grand poète allemand, vous pourrez venir à bout de votre jalousie de façon impressionnante. Complimentez les autres de tout cœur pour leur apparence physique, leur culture, leur style... Transformez votre envie en louanges (ce qui n'est que la face positive de la médaille).

Vous acquerrez ainsi un nouveau mérite, celui de savoir apprécier tout ce qu'il y a d'original, de beau et de bon chez les autres, et on vous en saura gré.

## *Coopérez avec ceux que vous enviez*

L'envie engendre aussi des problèmes de communication : plus vous nourrissez de pensées négatives à l'égard de l'individu que vous jalousez, moins vous lui parlez. La seule façon de sortir de ce cercle infernal consiste à l'aborder et à lui demander ouvertement : « J'aime beaucoup ceci et cela chez vous. Comment fait-on pour être ainsi [ou :

pour avoir ceci ou cela] ? Comment y êtes-vous parvenu ?» Mieux encore, collaborez avec l'être que vous enviez le plus. Si c'est vraiment une personne de valeur, cette coopération ne peut que vous être profitable. Tirez les leçons de cette expérience, et faites de l'énergie contenue dans votre jalousie un facteur de succès.

## *Suivez la voie de la créativité*

Si vous êtes envieux, c'est peut-être le signe que vous n'exploitez pas au mieux votre potentiel de créativité. Donnez libre cours à votre imagination et laissez votre esprit fourmiller d'idées. Consacrez du temps à quelque chose de créatif : jouez de la musique, bricolez, peignez, dansez, écrivez. Plus vous aurez conscience de vos propres talents, mieux vous les développerez, et moins vous aurez tendance à envier les autres. La satisfaction qu'apportent les heures passées sur un projet créatif a vite raison de l'envie et de la jalousie.

## *Soyez moins exigeant(e) avec vous-même*

La jalousie se nourrit aussi d'ambitions non satisfaites, qui rendent dépressif. Apprenez à moins exiger de vous-même et à considérer que chaque instant de votre vie est bien rempli : pensez que vous avez tout ce dont vous avez besoin (que ce soit effectif ou encore virtuel). Le sentiment de satisfaction chasse l'envie et la dépression.

### *Simplifiez les choses !*

Plus vous vous efforcerez de vous simplifier la vie, moins vous serez envieux. Si vous renoncez à faire collection de tasses à moka, vous ne serez plus jaloux (ou jalouse) des gens qui en possèdent une plus jolie que la vôtre ! Retrouver le goût des choses simples, non spectaculaires, apaise les souffrances des envieux.

## STRATÉGIES DE LUTTE CONTRE LES ENVIEUX

### *Montrez-vous content(e) de vous*

Ne laissez pas les autres vous priver de la joie que vous procurent vos mérites, vos succès et autres expériences agréables. Soyez fier (ou fière) de vous en toute sérénité. Cela étant, vous pouvez le clamer haut et fort lorsque vous êtes seul(e), mais n'en faites pas étalage en société : ne provoquez pas inutilement l'envie.

### *Soyez conscient(e) de votre propre valeur*

Ne vous laissez pas déstabiliser par un faux compliment (en vérité haineux) destiné à masquer l'envie que vous suscitez. Ne vous dévalorisez pas non plus vous-même si l'on vous adresse un commentaire acide du genre : « Oh, mais cela, tout le monde peut le faire ! » Restez au contraire conscient(e) de vos mérites et du travail que vous avez accompli, et répondez : « Oui, j'ai bien travaillé, et maintenant j'en récolte les fruits », ou même : « J'ai vraiment beaucoup de chance en ce moment, mais ce n'est pas toujours le cas, alors je m'en réjouis d'autant plus ! »

### *Ne vous laissez pas rabaisser*

Lorsque quelqu'un vous dénigre d'un : « Oh, mais ce n'est vraiment pas extraordinaire ! » ne vous laissez pas impressionner. Par exemple, vous exposez vos projets de vacances et un jaloux les critique : « Cet endroit est envahi par les voyages organisés, c'est horrible ! X, en revanche, c'est bien plus beau… » Seule attitude possible, vous rétorquez : « Ce sont *mes* vacances, et c'est selon *mes* propres critères que je les choisis. Vous aussi d'ailleurs, je présume ? »

## *Clarifiez les situations*

Lorsqu'un envieux vous veut du mal au point de vous causer de réels ennuis (il est agressif, vous dénigre auprès de votre supérieur, se mêle de votre vie privée ou fait circuler à votre sujet des rumeurs odieuses), demandez-lui des explications et n'hésitez pas à le confronter tranquillement aux faits. N'axez pas la conversation sur sa jalousie (il la niera systématiquement), mais efforcez-vous de trouver une solution positive et pragmatique à votre problème. Dites-lui clairement à quel point son comportement vous a blessé(e) : « Vous aussi vous en seriez malade, non ? »

## *Faites des compliments*

Aidez les autres à vaincre leur propre jalousie en leur faisant des compliments sincères et justifiés. Mais n'exagérez pas non plus, car cela ne serait plus crédible !

# CINQUIÈME IDÉE : N'AYEZ PAS DE JUGEMENTS TOUT FAITS

L'un des principaux obstacles à l'édification d'un réseau d'amis, de connaissances, de collègues et de parents réside dans notre besoin de juger les autres (ou, dans le meilleur des cas, de les améliorer...). Il ne s'agit certes pas d'un problème universel, mais nombre de gens ont cette manie malsaine de toujours tout critiquer. Pour avoir une vie plus simple et plus sereine, mettez au panier vos jugements et vos idées préconçus.

## NE CONFONDEZ PAS VOTRE OPINION ET LA RÉALITÉ

Les thérapeutes américaines Connie Cox et Cris Evatt ont élaboré un programme contre toutes les contrariétés inutiles, qui a largement fait ses preuves. Il commence par l'exercice que nous vous proposons ici. Pensez à quelqu'un qui a le don de vous énerver. Écrivez sur un morceau de papier une phrase, selon le modèle suivant : « X [nom de la personne] devrait... »

Ne vous contentez pas de faire cet exercice mentalement, notez réellement sur un papier. Et plus la formulation sera concrète, mieux ce sera.

### *Quel est le but de cet exercice ?*

Ce qui nous déstabilise, c'est le fatras de nos pensées *négatives*. La phrase que vous avez écrite correspond à l'une d'elles. Elle décrit la façon dont les autres devraient se comporter : Pierre devrait travailler plus à l'école, Paul devrait être plus ponctuel, Julie devrait arrêter de fumer. Or les jugements sont, par essence, autre chose que la réalité, qui est la façon dont les êtres se comportent vraiment : Pierre est paresseux, Paul n'est pas ponctuel et Julie fume « comme un pompier ». En outre, un jugement en appelle d'autres. Dans le cas de Pierre, par exemple, l'enchaînement des idées sera peut-être : « Il va échouer. Il va sécher les cours. Il ne trouvera pas de travail. Il va sombrer dans la dépression. Il va devenir délinquant et toxicomane... » On pourrait continuer longtemps. Cette orientation négative de la pensée s'amplifie dans certains cas au point de déformer voire de fausser complètement notre perception de la réalité.

## Cessez de vouloir résoudre les problèmes des autres

On peut dire que la vie présente trois volets :

1. *La vie en soi*, soumise aux lois de la nature. Le soleil se lève le matin, il pleut ou il fait beau, on doit mourir un jour : tout cela est de toute évidence indépendant de votre volonté et de votre sphère d'influence.
2. *La vie des autres*, visée par la phrase : « X devrait faire ceci… » dans l'exercice ci-dessus.
3. *Votre vie à vous.*

La voie de la simplification vous recommande de ne vous occuper que de ce troisième volet. C'est parfois en effet un terrible fardeau que d'essayer de résoudre les problèmes des autres. Ces efforts encombrent et l'esprit et le cœur. Comme l'écrit le psychologue Jack Dawson : « La vie devient beaucoup plus simple si l'on ne s'intéresse qu'aux points sur lesquels on peut agir. »

## Ne jugez pas les autres

Relisez encore une fois la phrase que vous avez écrite tout à l'heure (si vous ne l'aviez pas fait, rédigez-en une). Que provoque-t-elle en vous ? Est-ce qu'elle vous met de bonne humeur ? Éprouvez-vous en la relisant de l'agacement, de la tristesse, de l'angoisse ?

En règle générale, émettre des jugements génère des émotions désagréables que l'on peut rassembler sous la notion générale de stress. Or, il s'agit là d'un stress provoqué par vos propres pensées ! Ce prix à payer pour vos opinions critiques est fort élevé, d'autant plus qu'elles risquent de vous isoler… Lorsqu'on est très critique, on perd en sociabilité. Même une pensée en apparence anodine comme : « Ce que son pantalon est moche ! » entraîne un flot d'autres réflexions, du style : « Il ne prend pas soin de lui... Il a mauvais goût... Il tombe peu à peu dans la déchéance… Mieux vaut se tenir à l'écart de lui… » Dawson a en outre découvert que les gens qui ont de nombreux a priori négatifs écoutent nettement moins bien que ceux qui ont une vision plus objective. « On a pourtant besoin de valeurs et de directives », s'entend-on répondre la plupart du temps lorsqu'on suggère de cesser de juger. Rassurez-vous cependant : même sans le fatras des idées préconçues, l'être humain sait ce qu'il doit faire. Faites plutôt confiance à la capacité naturelle de jugement et à l'instinct de vie. Comme l'a démontré le psychologue Jon Kabat-Zinn, quand on s'abstient de juger, on a l'esprit plus clair, on prend de meilleures décisions, on réussit mieux en affaires et on se sent plus heureux !

## DÉBARRASSEZ-VOUS DE VOS A PRIORI

Nous sommes naturellement doués pour avoir une vie heureuse et détendue. Le problème, c'est que nous sommes écrasés par des tonnes de convictions et de principes. Voici donc deux techniques très simples qui vous permettront de retrouver la sérénité nécessaire.

### *Technique n° 1 : remettez en question vos idées*

Lorsqu'une série de jugements vous vient à l'esprit (« Mon conjoint devrait être plus souvent à la maison.

Il me laisse seule. Il ne m'aime pas... »), essayez de la mettre en doute. Demandez-vous : « Mon avis est-il le seul possible ? Ne se pourrait-il pas que quelqu'un d'autre juge ce comportement de façon très différente ? » Adoptez volontairement un tout autre point de vue : « Il se tue à la tâche pour sa famille. Il veut que nous ne manquions de rien. Il néglige ses propres besoins... » Douter ainsi est extrêmement efficace car cela interrompt la litanie interminable des analyses. Inutile, du reste, de vous cacher les erreurs des autres ; il suffit d'essayer de vous en tenir aux faits.

### *Technique n° 2 : retournez-vous le reproche*

Dans la petite phrase que vous avez écrite tout à l'heure, remplacez le nom de la personne que vous critiquiez par le mot « Je ». Est-ce que cela évoque quelque chose en vous lorsque vous lisez : « Je le laisse seul. Je ne l'aime pas. Je suis comme tous (ou toutes) les autres... » Est-ce que les choses vues ainsi ne pourraient pas expliquer ses absences ? Cet exercice tout

simple met en évidence l'utilité de la faculté de jugement bien comprise : elle doit vous servir à vous évaluer vous-même, afin d'évoluer et de vous développer. La critique est une arme à double tranchant : dirigée contre les autres, c'est un poison ; appliquée à soi, en revanche, c'est un excellent outil.

Anaïs Nin, femme de lettres américaine, exprimait ainsi ce qui précède : « Nous ne voyons pas les choses comme elles sont, nous les voyons comme nous sommes. »

## Acceptez la réalité…

Poursuivons l'exemple précédent. Votre conjoint est souvent absent : cela, c'est la réalité. Exprimez maintenant ce fait, à titre expérimental, comme un jugement : « Il est souvent en déplacement. C'est bien pour lui. » Au début, vous aurez l'impression de dire une énormité, mais cet effort de transparence devrait vous permettre de demander à votre conjoint(e) de passer plus de temps avec vous, et ce, pour la première fois sans lui mettre la pression, sans lui faire de reproches, sans non-dit. Car, maintenant, vous pouvez le laisser entièrement libre de sa décision. C'est sa vie, et vous la lui laissez. L'ordre règne à nouveau dans votre esprit… et dans votre relation.

## … pour faire changer la réalité

Selon la psychologue Byron Katie, qui a mis au point ces techniques, les tensions dans le couple disparaissent souvent quand le partenaire adopte un nouveau point de vue. Dans notre exemple de tout à l'heure, lorsque la femme cesse de reprocher à son conjoint ses absences, ce dernier abandonne le combat qu'il menait inconsciemment contre ces reproches et rentre volontiers plus tôt à la maison.

Il en va de même avec les enfants. Ce que parents et professeurs critiquent généralement chez les jeunes correspond à leurs propres faiblesses. Suivez donc les conseils de Byron Katie et essayez de vous souvenir si, lorsque vous étiez enfant, le jugement d'un tiers («Tu devrais travailler davantage!») a jamais changé quelque chose... Vraisemblablement pas. Un adolescent ne suit pas les injonctions des personnes qui le jugent, il écoute plutôt ceux qui discutent avec lui sans a priori, et qui lui font confiance. Devenez l'un d'eux. Pour cela, vous devez faire preuve de patience. Sachez qu'il vous arrivera forcément de rechuter de temps en temps. Quoi qu'il en soit, engagez-vous sur cette voie, même si la difficulté vous paraît aujourd'hui impossible à surmonter. Plus vous progresserez, plus votre effort de simplification sera gratifiant.

Ces méthodes qui permettent de trouver la sérénité dans les rapports humains peuvent s'appliquer à toutes vos relations, qu'il s'agisse de vos amis, de vos connaissances ou même de votre conjoint(e). La relation primordiale qu'est celle du couple occupe cependant à elle seule tout un étage de la pyramide de votre vie. Elle fait donc l'objet d'un chapitre entier de ce livre.

# SIMPLIFIEZ VOTRE VIE DE COUPLE

## 6e étage de la pyramide

## OBJECTIF DE CETTE ÉTAPE :

Apprenez à regarder sous le vernis
de votre relation actuelle
et réapprenez à faire route ensemble

## Vos rêves de simplification : troisième nuit

Une surprise vous est réservée à ce nouvel étage de la pyramide. Le précédent était immense et bruyant ; vous y croisiez une multitude de gens. Vous pensez qu'au contraire, au niveau que vous atteignez maintenant, une seule personne vous attend : celle qui occupe une place unique dans votre cœur.

Sous vos yeux s'ouvre un paysage riant ; il vous paraît infini dans la chaude lumière du soleil couchant. Il vous fait penser au paradis : un jardin démesuré, parsemé de collines douces, de chemins sinueux et de sources jaillissantes, et des lianes, qui pendent de gros arbres majestueux tandis que d'épaisses fougères d'un vert vif tapissent le sol.

Contrairement à ce que vous aviez prévu, dès vos premiers pas sur l'herbe tendre, au lieu d'une seule personne, vous remarquez à gauche et à droite de nombreux visages qui vous regardent. Ce ne sont pas réellement des personnages, mais plutôt des images diaphanes qui semblent des projections du passé. Ce sont tous les êtres que vous avez aimés mais que vous avez oubliés, que la séparation se soit faite en douceur ou que vous les ayez violemment rayés de votre mémoire. Vous vous attardez un moment et vous souriez en silence, plein(e) de gratitude.

Puis vous continuez votre chemin à travers l'étendue multicolore de votre éden personnel… qui n'est plus depuis longtemps purement paradisiaque ! Vous y voyez des épines et du gravier, des mauvaises herbes et des déchets. Vous vous dites toutefois que, tel qu'il est, il vous appartient. D'autre part, vous n'êtes plus seul(e). Depuis quelque temps, l'élu(e) de votre cœur est arrivé(e) sans bruit à vos côtés. Vous vous tournez l'un vers l'autre et vous vous prenez par la main. Vous avez alors le sentiment que toute votre vie est concentrée dans cet instant précis. C'est un moment que vous aviez oublié depuis longtemps : cette première fois où vous vous êtes tenus ainsi tout près l'un de l'autre, où vos cœurs se sont rejoints, et où vous avez décidé sans un mot de ne plus vous quitter et de faire la route ensemble. Vous vous regardez et vous ouvrez la bouche pour parler, mais c'est inutile ! Pas maintenant…

Simplifiez-vous la vie : c'est à vous que le conseil s'adresse, c'est bien de votre vie qu'il s'agit. Mais n'oubliez pas que votre vie ne concerne pas que vous. Que vous soyez mariés ou non, votre conjoint(e) n'est pas n'importe qui, c'est une partie de votre âme. Même si vous ne le remarquez pas encore, dans votre subconscient vous êtes liés. C'est pourquoi les séparations sont si douloureuses. Et c'est aussi pourquoi vous devez faire un plus grand cas de cette relation que de vos biens, de vos finances, de votre temps, de votre corps ou de votre réseau d'amis.

Si, jusqu'à présent, vous avez lu ce livre seul(e), passez-le maintenant à votre partenaire. Ou encore laissez-le traîner, ouvert – comme par hasard – sur un passage que vous considérez comme particulièrement important pour votre relation.

L'heure est maintenant venue de poursuivre à deux dans la voie de la simplification.

## PREMIÈRE IDÉE : VIVEZ MIEUX VOTRE RELATION DE COUPLE

La mort du couple : c'est par cette formule très simple que le psychanalyste Michael L. Moeller décrit la situation actuelle du couple et du mariage. Les gens s'engagent, sans réfléchir et sans se préparer, dans une relation à deux, l'entreprise la plus risquée de leur vie ! Ils ne consacrent pas assez de temps l'un à l'autre, se le reprochent mutuellement, sont absorbés par mille obligations, finissent par perdre le désir l'un de l'autre, et se retrouvent un beau jour étonnés et désespérés face à une situation qu'ils croient irréparable.

Les causes de cet état de choses sont multiples et bien moins personnelles que ne le pensent les intéressés. Les rôles traditionnels respectifs de l'homme et de la femme dans la société connaissent en effet actuellement un bouleversement. Les femmes bénéficient d'une liberté nouvelle sur le plan professionnel et pécuniaire, et se trouvent parallèlement confrontées à un nouveau type de difficultés. Leurs attentes vis-à-vis des hommes ont explosé sans que les exigences sociales et professionnelles aient diminué pour autant. D'une façon générale, les demandes des uns et des autres ont énormément augmenté : on veut à la fois réussir sur le plan professionnel, disposer de beaucoup de temps libre, jouir de l'indépendance matérielle, avoir une sexualité épanouie et, dans l'idéal, vivre une histoire d'amour pour la vie avec, si possible, de merveilleux enfants… La relation de couple n'a jamais été soumise à une telle pression ! Ce que la famille étendue avait autrefois du mal à réaliser, la famille nucléaire doit l'accomplir aujourd'hui à la perfection.

La première chose à faire pour résoudre ce dilemme, c'est de parler vraiment. Pas seulement du travail, des enfants ou de ce que l'on va manger, mais aussi de soi. Au début d'une relation, tous les couples le font naturellement. On est curieux, on veut tout savoir de l'autre. Le développement de l'intimité amplifie le désir érotique. Mais, par la suite, les deux partenaires pensent ne plus rien avoir à découvrir l'un de l'autre, parce qu'ils se sont déjà raconté tant de choses ! C'est cette erreur qui est à l'origine de la plupart des problèmes de couple.

## Les règles du véritable dialogue

M. Moeller a mis au point un antidote qui fait ses preuves chez ses patients depuis plus de vingt ans : le « vrai dialogue ». Il s'agit d'une conversation qui obéit à quelques règles simples, mais précises, que les deux partenaires s'engagent à respecter.

- *Moment précis :* fixez un moment dans la semaine où vous êtes sûrs de pouvoir parler seuls, en tête à tête, pendant une heure et demie, sans être dérangés. (Prévoyez une date de repli au cas où vous auriez un empêchement pour le premier rendez-vous.)
- *Cadre précis :* asseyez-vous face à face car l'essentiel de la communication se fait visuellement et non verbalement. Éliminez les sources possibles d'interruption (débranchez le téléphone, éteignez la télévision, la radio, l'ordinateur, coupez la musique d'ambiance). Respectez le temps imparti : n'écourtez pas la conversation, mais ne la prolongez pas non plus inutilement.
- *Tour de rôle :* le premier de vous deux parle pendant quinze minutes (il vous faut un réveil), le second les quinze minutes suivantes, et ainsi de suite. Celui qui écoute ne pose aucune question, même s'il s'agit de se faire préciser quelque chose.
- *Thème précis :* chacun raconte ce qui lui tient le plus à cœur actuellement. C'est ce que Moeller appelle « faire son autoportrait ». Chacun parle de *soi*. S'il parle de l'autre (ce qui est bien entendu autorisé), il doit le faire sans juger, mais simplement en décrivant *ses propres* sensations et sentiments vis-à-vis du partenaire.

C'est ce qui distingue ce « vrai » dialogue des discussions au cours desquelles chacun veut expliquer comment est *l'autre*.

## Pourquoi les « vrais dialogues » sont si efficaces

Selon Moeller, nous vivons tous dans une double sphère : la nôtre et celle de notre partenaire. Si chacun connaît l'univers de l'autre, la relation de couple est plus riche. Si, en revanche, chacun veut convaincre l'autre de la supériorité de *sa propre vision*, la relation est vouée à l'échec. C'est pourquoi un dialogue digne de ce nom implique de considérer les deux réalités sur un pied d'égalité.

Le dialogue doit permettre aux deux partenaires de découvrir cinq grandes vérités.

### 1. « *Je ne suis pas toi* »

Réalisez que vous vous connaissez mutuellement bien moins que vous ne le pensiez. Dans une relation de longue durée, on ne cesse d'affirmer certaines choses à propos de son partenaire. C'est ce que Moeller appelle « coloniser l'autre », ou ce qu'il qualifie de « racisme du couple » : chacun est intimement convaincu d'être d'une façon ou d'une autre supérieur à son partenaire. Le véritable dialogue fait cesser ce comportement aberrant.

### 2. « *Nous sommes deux visages d'une même entité* »

Vous devez apprendre par la même occasion à ne pas vous considérer comme deux électrons libres, mais comme un couple qui, dans son subconscient, est soudé depuis longtemps.

C'est l'essence même de l'amour qui s'est emparée de vos âmes !

Même les particularités les plus désagréables de votre partenaire vous appartiennent maintenant à tous les deux. Si, par exemple, il vous tait quelque chose parce qu'il en a honte, s'il en garde le secret, dites-vous que ce n'est pas sa faute à lui seul, car il n'aurait peut-être pas eu honte d'en parler à quelqu'un d'autre...

Une fois que vous avez fait vôtre cette règle de sagesse fondamentale dans la relation de couple, vous ne pouvez rendre responsable votre partenaire seul. Cette notion révolutionne votre vie quotidienne : plus rien ne justifie de reproches, que ceux-ci s'adressent à lui ou à vous-même, puisque chacun est partie prenante dans le comportement de l'autre.

### 3. « C'est le dialogue qui fait de nous des êtres humains »

Vous pouvez, dans le meilleur des cas, espérer vous changer vous-même, mais jamais vous ne pourrez changer votre partenaire, même si vous faites continuellement des efforts dans ce sens. Le dialogue peut, lui, vous amener à réaliser qu'en discutant, vous engagez une conversation non seulement avec lui, mais aussi avec vous-même. La plupart des relations souffrent moins, en effet, d'un déficit du couple que d'un déficit du moi ; vous attendez de votre conjoint(e) des choses que vous seul(e) pouvez vous donner à vous-même : le sentiment de votre propre valeur, la satisfaction, la foi en l'avenir, la joie de vivre.

### 4. « Nous nous racontons des histoires »

Apprenez à parler de choses concrètes au lieu d'exprimer de vagues sentiments. Au lieu de dire : « Je te trouve chouette », dites plutôt : « Ce matin, quand je t'ai vu(e) arriver à vélo au coin de la rue, la veste grande ouverte, les cheveux au vent sous le soleil, je t'ai trouvé(e) vraiment superbe ! »

Votre vie intérieure s'en trouvera, elle aussi, plus riche en images. Et vous commencerez à voir dans vos rêves une expérience permettant à chacun de vous d'accéder à son propre subconscient.

### *5. « Je suis seul(e) responsable de mes sentiments »*

Grâce au dialogue vous comprendrez que vos sentiments sont issus de votre subconscient ; vous cesserez de croire qu'ils naissent en vous par hasard ou qu'ils sont un phénomène en quelque sorte extérieur à vous. Vous apprendrez aussi à les exprimer plus clairement, et vous saurez les gérer avec plus de sérénité dans la mesure où vous ne les laisserez plus vous mener par le bout du nez.

## Si votre dialogue tourne court…

Si, au début, vos dialogues ne fonctionnent pas, ne renoncez pas. Mettez-vous d'accord pour faire dans tous les cas au moins dix tentatives. Ne cédez pas à l'erreur la plus courante de la communication dans le couple : n'abandonnez pas trop vite ! Comparez cet effort à l'opiniâtreté dont vous êtes capable pour

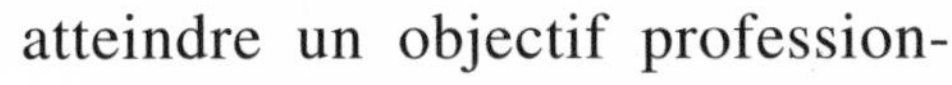

atteindre un objectif professionnel, ou au nombre de fois où vous devez répéter quelque chose à vos enfants pour vous faire entendre.

Faites preuve de la même patience envers l'être qui vous est le plus cher. Ayez confiance : vos entretiens s'amélioreront d'eux-mêmes. Si vos efforts dans ce sens échouent un jour lamentablement, sachez que la fois suivante tout se passera mieux. De plus, l'effet de ces dialogues dépassant le simple cadre du couple, vous constaterez que vos autres conversations aussi seront plus ouvertes et iront davantage à l'essentiel.

## De nombreux effets bénéfiques…

Le sentiment d'être heureux ou pas dépend largement de la relation de couple. Selon certaines études de phénomènes psychosomatiques, le système immunitaire humain serait en outre largement influencé par la qualité de celle-ci. Qu'elle soit satisfaisante est capital également pour les enfants, car ces derniers chercheront plus tard inconsciemment à retrouver la qualité du modèle relationnel parental. De plus, les effets positifs du dialogue, en améliorant la communication, se répercutent (avec un certain décalage dans le temps) sur la vie sexuelle. C'est une erreur de croire que l'inconnu favorise une sexualité de qualité (argument courant pour justifier les aventures extra-conjugales…). La compréhension réciproque et l'intimité sont les meilleurs gages d'un érotisme épanoui.

## Ne vous contentez pas de deux minutes par jour !

Selon une étude réalisée en l'an 2000 auprès de 76 000 personnes, les couples parlent en moyenne deux minutes par jour de leur relation.

Il s'agit là du temps moyen consacré à se parler vraiment, c'est-à-dire des moments où chacun des partenaires évoque sa propre place dans le couple et où tous deux parlent ensemble de leur vie commune. Arrivez à faire mieux que ces deux minutes !

## DEUXIÈME IDÉE :
## SOYEZ OUVERT AUX ÉCHANGES

Pourquoi autant de mariages échouent-ils ? Pourquoi les relations entre hommes et femmes sont-elles de plus en plus difficiles ? Selon le psychologue américain John Gray, la plupart des couples qui songent à se séparer pourraient rester unis s'ils connaissaient les différences essentielles entre les deux sexes en matière de communication. C'est le sujet de son premier livre, *Les hommes viennent de Mars, les femmes viennent de Vénus*. Gray y relate les résultats de son

étude sous la forme d'une fiction amusante. Autrefois, les femmes vivaient sur Vénus, où elles s'efforçaient d'être en communion et en harmonie. Pour elles, les relations humaines primaient sur le travail et la technique. Elles étaient persuadées que tout pouvait s'améliorer, et conseils et critiques constructives étaient à leurs yeux des preuves d'amour. Pour les

Martiens en revanche, le plus important était de créer, de produire. Ils se fixaient des objectifs et étaient fiers d'entreprendre des choses seuls. Un jour, les habitants de Mars et ceux de Vénus se découvrirent mutuellement. Les premiers avaient exactement ce qui manquait aux seconds, et réciproquement. Les Martiens construisirent des vaisseaux spatiaux, allèrent chercher les femmes sur Vénus et peuplèrent avec elles la Terre...

## SOLITUDE DU COUREUR DE FOND CONTRE SOLIDARITÉ FÉMININE

La découverte de Gray est simple : les hommes et les femmes ont des façons radicalement différentes de résoudre les problèmes. Pour les premiers, ceux-ci sont faits pour être résolus, si possible par eux seuls ; ils les abordent à la façon des coureurs de fond.

Pour les secondes, les problèmes sont l'occasion de communiquer. Elles recherchent le contact pour en parler avec les autres, alors que les hommes s'isolent.

Cette différence entraîne dans les couples d'innombrables malentendus qui peuvent même conduire à la rupture.

## COMPRENDRE CE QUE VEUT DIRE L'AUTRE

*Situation classique :* le soir, la femme expose son problème (elle est débordée de travail car c'est demain qu'elle doit rendre son article, et ce dernier est loin d'être fini).

*Réaction masculine typique (mais mauvaise):* l'homme parle du problème et des faits eux-mêmes («Ne peux-tu pas en déléguer une partie, ou rendre ton article après-demain seulement?»). Ce «coureur de fond» ne sait pas que la demande de sa femme est tout simplement une invitation au dialogue. *Réflexion que se fait la femme au sujet de son mari:* «Tu ne vois toujours que les faits, tu ne t'intéresses pas à moi.» *Façon dont l'homme aurait dû réagir:* il aurait dû s'asseoir à côté de sa femme, l'écouter et lui donner raison. Cela aurait suffi, et elle aurait été ensuite capable d'abattre des montagnes. La femme n'attend pas de solutions, mais de la compréhension.

*Situation inverse:* l'homme rentre le soir à la maison, accablé sous le poids des échéances et du travail qu'il lui reste à faire. *Réaction féminine typique (mais mauvaise):* elle lui donne des conseils et lui apporte des critiques qu'elle voudrait constructives («Tu ne devrais pas te laisser exploiter ainsi, tu devrais ralentir le rythme»). *Message perçu par l'homme:* «Je ne te fais plus confiance.» *Façon dont la femme aurait dû réagir:* louer les mérites de son conjoint, l'encourager, lui dire qu'il y arrivera, puis le laisser travailler ou se détendre.

## Mars et Vénus version Bible

Les paroles de sagesse de Gray figurent déjà dans la Bible, dans une lettre de l'apôtre Paul aux Éphésiens: «Vous, les hommes, aimez vos femmes… Et vous, les femmes, respectez vos maris.» En prononçant ces paroles, saint Paul allait contre la tendance naturelle des uns et des autres. En effet, si les hommes ont généralement un grand respect pour leur femme, notamment pour leur travail, ils ont souvent plus de mal à exprimer leur amour et leur tendresse. Leur façon de vouloir le succès de leur vie de couple consiste à sortir, à gagner de l'argent, à organiser les choses. Or, ce que veulent les femmes, et ce qu'elles attendent de leur conjoint en particulier, c'est de l'attention et de la compréhension. Elles prennent pour un manque d'amour ce besoin immodéré d'action. Pour les femmes, la grande affaire est d'exprimer leurs sentiments. Le travail et l'argent leur paraissent secondaires ; elles ont du mal à penser qu'il s'agit là d'une façon de vouloir la réussite d'une relation. Ce que les hommes pour leur part attendent – surtout de leur épouse –, c'est de la reconnaissance. « Tu es champion dans ce domaine ! » espèrent-ils s'entendre dire. Quant aux suggestions bien intentionnées destinées à les aider, ils les prennent pour des reproches déguisés. L'image de Vénus et de Mars est particulièrement appropriée pour remettre sur les rails une relation qui s'est enlisée. Ne l'utilisez pas, toutefois, Messieurs, pour faire des reproches (« Tu as encore eu là une réaction typiquement vénusienne ! »), mais pour tenter de vous auto-analyser (« Ces propos étaient du pur martien, désolé ! »).

Mettez le thème de Vénus et Mars au programme de votre prochain dialogue, et parlez-en avec d'autres couples, un moyen précieux d'améliorer la communication en général !

## Apprenez à demander

Bien des gens sont frustrés dans leur vie de couple parce que leurs besoins et leurs désirs ne sont pas pris en compte. L'explication en est parfois simple : ils n'ont jamais rien demandé. Il arrive aussi, il est vrai, que le partenaire s'acharne à ignorer des souhaits qui ont bel et bien été exprimés...

Cela se produit, en fait, dans toutes sortes de relations, qu'il s'agisse du mariage, de la famille, des amis ou du travail. Il existe fort heureusement quelques astuces pour résoudre ce problème. La thérapeute britannique Rinatta Paries les a rassemblées par écrit après avoir exercé pendant vingt ans comme conseillère conjugale. Notez qu'il ne s'agit pas d'une tactique de manipulation, mais tout simplement de compréhension réciproque.

### Octroyez-vous le droit de demander

La règle la plus importante est la suivante : chacun a le droit fondamental de dire ce qu'il souhaite et ce dont il a besoin. Peu importe qu'il s'agisse d'un coup de main pour s'occuper des enfants, de nourriture, d'argent, d'un conseil ou de tendresse : demandez toujours ce que vous voulez.

### Laissez votre interlocuteur libre

Exprimez votre requête de façon à laisser votre interlocuteur entièrement libre de l'exaucer ou non. Les gens sont friands de liberté. Ils répondront plus facilement « oui » à une question ouverte, sans menace déguisée (« Si tu m'aimais vraiment... ») et sans connotation dépressive (« Je sais bien que tu vas dire non, mais... »).

## *Acceptez les refus*

Ne soyez pas irrité(e) si la réponse est « non ». Si vous ne parvenez pas à vous montrer aimable et compréhensif (ou compréhensive), c'est que votre requête n'était pas un souhait, mais une exigence. Or les exigences sont mal acceptées ; elles suscitent systématiquement une résistance. Qui plus est, en prenant mal une réponse négative, vous allez provoquer de nouveaux refus. Au contraire, en acceptant ce « non » aujourd'hui, vous ouvrez la voie au « oui » de demain.

## *Restez fidèle à vos désirs*

Si vous demandez quelque chose à quelqu'un qui vous le refuse, ne renoncez pas pour autant. Gardez pour vous votre besoin rentré, mais ne laissez pas les autres vous en dissuader.

## *Donnez une seconde chance à votre interlocuteur*

Même si votre demande n'a pas été acceptée, ne perdez pas espoir : ce « non » peut encore se transformer en « oui ». Partez du principe que votre interlocuteur ne vous en veut pas personnellement lorsqu'il refuse d'exaucer votre souhait. Peut-être même aurait-il accepté s'il connaissait vos véritables motivations et vos besoins réels. Expliquez-les-lui donc patiemment et avec douceur.

## *Ne cachez pas votre réaction*

Montrez ouvertement à votre interlocuteur l'effet que produit sur vous sa réponse, qu'elle soit positive ou négative. Faites-lui part de votre joie ou de votre déception, de votre mauvaise humeur ou de votre gratitude.

## *Jouez la carte de la réciprocité*

Bien des gens pensent que, s'ils peuvent lire dans les yeux de leur partenaire ce qu'il désire, celui-ci doit en retour exaucer tous leurs souhaits. Cela va à l'encontre de la sacro-sainte liberté de décision évoquée plus haut. La clé d'une relation de couple épanouie, c'est que les deux partenaires réalisent tour à tour leurs vœux clairement exprimés, et non qu'ils les présupposent.

## *N'insistez jamais lourdement*

Par « insister lourdement », nous entendons râler et remettre systématiquement une requête sur le tapis en espérant avoir son interlocuteur à l'usure et le contraindre à accepter, s'il le faut, par une « épreuve de force » (« Espèce de tête de mule, tu ne changeras donc jamais ! »). Il arrive effectivement – le cas est rare – qu'à force d'insister ainsi, l'autre finisse par céder, mais à quel prix ! Il accepte alors contre son gré, la rage au cœur... Aussi, la prochaine fois que vous lui demanderez quelque chose, ne commettez pas la même erreur : appliquez plutôt la marche à suivre que nous vous proposons.

### *N'oubliez pas de remercier*

Si on répond à votre demande par l'affirmative, célébrez cette victoire comme il se doit : montrez-vous reconnaissant(e). Ne considérez jamais qu'exaucer un souhait va de soi et qu'il s'agit d'un droit. Plus vous exprimerez clairement votre joie et votre gratitude, plus votre partenaire sera prêt à faire de nouvelles concessions.

### *N'attendez pas de miracle*

« Pourquoi dois-je te demander cela ? Ne pourrais-tu pas comprendre par toi-même ce que je veux ? » N'en veuillez pas à votre interlocuteur s'il ne devine pas vos souhaits. Lui et vous faites deux. Partez du principe qu'il en attend autant de vous. Ne rêvez pas : que ce soit dans la vie d'un couple ou dans celle d'une famille, votre intuition ne pourra jamais vous permettre de faire exactement ce que l'autre attend de vous. Prenez plutôt la bonne habitude d'exprimer vos désirs et de remercier lorsqu'ils sont exaucés.

## TROISIÈME IDÉE : SACHEZ CONCILIER VIE PROFESSIONNELLE ET VIE PRIVÉE

On entend souvent dire que le principal ennemi de la vie de couple, c'est le travail. « Tu n'as jamais de temps à me consacrer » est le reproche typique d'une femme au mari qui réussit sur le plan professionnel. Aujourd'hui, du reste, cette plainte s'adresse de plus en plus souvent aux femmes qui ont une activité. Günter F. Gross, qui a passé sa vie à étudier les rapports entre vie privée et vie professionnelle, est pourtant parvenu à cette conclusion intéressante : les gens qui réussissent professionnellement développent dans ce domaine des compétences qu'ils peuvent utiliser aussi dans leur relation de couple. En d'autres termes, heureux au travail, heureux en amour !

Pour réussir dans le domaine professionnel, il faut du temps, de l'énergie, de l'enthousiasme et de la détermination. Ce sont précisément les paramètres d'une relation de couple épanouie.

Voyons donc comment la voie de la simplification peut vous aider à réussir votre vie privée à partir de ces divers ingrédients.

## CHAMBOULEZ VOTRE PLANNING

Pour pouvoir mettre en application vos compétences professionnelles dans votre vie de couple, vous devez avant tout repenser complètement la façon dont vous gérez votre temps. Des études ont montré que 20 % des projets seulement sont à l'origine de 80 % des succès. Naturellement, il n'est pas toujours possible de savoir à l'avance quels sont les 20 % qui vont être payants. Toutefois, dans un bon nombre de cas, on peut dire avec une quasi-certitude lesquels n'ont aucune chance d'aboutir – sans compter qu'il existe un conseiller dont l'intuition est sans doute, sur ce sujet, plus fiable que la vôtre : votre conjoint !

Il est fondamental de laisser ce dernier vous aider à établir votre planning. Il sera nécessairement plus réaliste que vos collaborateurs car il connaît vos points forts ainsi que vos objectifs à long terme, et peut-être votre tendance personnelle à l'éparpillement ou autres points faibles. Demandez-lui de s'abstenir de commentaires lorsque vous organisez votre emploi du temps (« Tu vas encore à ce satané salon ? »), mais plutôt de vous poser des questions précises du type :

- Ce rendez-vous est-il important pour l'avenir ?
- Accepterais-tu cette tâche si tu ne travaillais que six heures par jour ?
- Est-ce que cela va nous apporter quelque chose à tous les deux ?
- Quels dossiers laisserais-tu tomber au profit de ce nouveau projet ?

Cette gestion à deux prévoit bien évidemment que vous consacriez ensemble un moment à l'établissement de votre planning. Mais soyez certains l'un et l'autre qu'il s'agit là des rendez-vous les plus importants de votre existence. Nombreux sont ceux qui enchaînent réunion sur réunion dans leur travail et qui pensent pouvoir se passer de discussion dans leur vie privée. Examinez tout investissement de temps dans votre vie professionnelle avec un œil aussi critique que s'il s'agissait d'un investissement financier. Si votre employeur manquait d'argent pour réaliser un programme, il ne vous viendrait jamais à l'idée de mettre la main à votre portefeuille. Eh bien, agissez de même en matière de temps. Trop de gens considèrent leur vie privée comme une réserve de temps dans laquelle ils peuvent puiser à volonté en cas de surcharge de travail.

## Votre meilleur conseiller

Si vous êtes sur le point d'accepter un rendez-vous ou un projet simplement pour faire plaisir à un tiers, écoutez votre partenaire et, s'il vous le demande, refusez. Personne ne vous sera de meilleur conseil que lui. Et pensez à la jolie formule selon laquelle « l'enthousiasme et l'esprit d'entreprise sont proportionnels à la propension à s'abstenir et à déléguer ». Si votre supérieur s'attend, par exemple, à ce que vous travailliez tard un soir ou que vous reveniez au bureau un week-end, répondez-lui franchement : « Je dois d'abord en parler à mon conjoint » (même si au début cela vous coûte d'admettre ainsi publiquement que vous n'êtes pas entièrement maître de votre emploi du temps). Souvenez-vous que vous n'êtes pas seul(e) à être concerné(e). Votre chef devra fournir des arguments qui convainquent également votre partenaire.

## Faites le plein d'énergie

Lorsque vous établissez votre planning avec votre conjoint(e), ne considérez pas seulement la durée mesurable, pensez aussi à l'énergie mentale que toutes vos entreprises mobilisent, et à celle qu'elles vous apportent. Par exemple, vous allez consacrer beaucoup de temps et d'efforts à préparer une présentation devant un auditoire exigeant mais, si tout se passe bien, vous allez en retirer une bonne dose de confiance en vous, d'autosatisfaction et de vitalité. Les tâches qui vous plaisent ou qui vous apportent une certaine reconnaissance reconstituent vos « réserves ». Et n'oubliez pas : le succès vous rendra plus attractif (ou plus attractive) aux yeux de votre partenaire ! Cela dit, ne croyez pas qu'il soit normal d'être épuisé après douze heures de travail, et que ce soit à votre vie privée de « recharger vos accus ». Même si cela vous paraît au départ impossible, travaillez de façon à rentrer du bureau satisfait(e), détendu(e) et serein(e). Organisez votre emploi du temps de manière à avoir encore, en fin de journée, du tonus pour votre conjoint(e) et votre famille. Mieux vaut passer une soirée avec quelqu'un d'équilibré que deux semaines de vacances avec une personne qui se sent exténuée !

## Alimentez votre « compte tendresse »

L'objectif à long terme d'une entreprise est la survie économique, en vue de laquelle on s'efforce de dégager des bénéfices, de réaliser des investissements sûrs et de constituer des réserves. Si votre société fait faillite, c'est aussi une catastrophe sur le plan personnel. Il en va de même pour la relation de couple, à cette différence près qu'il s'agit de la vie affective. Le facteur déterminant n'y est plus l'argent ou le profit, mais la tendresse. Soyez aussi prudent(e) et avisé(e) avec ce capital douceur qu'avec les finances de votre

société. De la même façon que vous consacrez dans votre vie professionnelle beaucoup de temps et d'énergie à dégager des bénéfices financiers, vous devez au sein de votre couple penser à alimenter ce que nous appelons votre « compte tendresse ». C'est souvent dans des moments simples et tranquilles que l'on se retrouve vraiment et que l'on peut faire le plein de gentillesse. Il est important de concocter intelligemment ces instants privilégiés, et de les préparer avec amour. Surprenez votre partenaire, offrez-vous le luxe d'un peu de vague à l'âme : lorsque vous sortez ensemble le soir, partez un peu plus tôt de chez vous et faites un petit détour, promenez-vous un moment, admirez le clair de lune ou le lac qui scintille dans la nuit... Soyez romantique. Dites-lui que vous l'aimez. Même s'il le sait, entendre ces mots lui fera plaisir.

# QUATRIÈME IDÉE : LIBÉREZ VOTRE ÉNERGIE SEXUELLE

Pour alimenter votre « compte tendresse », ayez des élans romantiques, des mots doux, des gestes attentionnés, offrez des bouquets de fleurs et faites des petits cadeaux, mais ne négligez pas l'amour physique. Ce poste du compte tendresse est souvent en déficit, même et surtout chez les personnes qui ont réussi leur vie professionnelle. Voici donc quelques astuces pour redonner un peu d'entrain à un érotisme rouillé, ainsi que quelques arguments pour lutter contre les idées reçues.

## NE VOUS LAISSEZ PAS IMPRESSIONNER PAR LES SONDAGES

*Idée préconçue :* une étude internationale aurait montré que ce sont les couples américains qui font le plus souvent l'amour et le plus longtemps (20 fois par mois et 35 minutes chaque fois).

*Faux. La réalité :* ce résultat reflète seulement une fois de plus la forte pression sociale qui règne aux États-Unis, où il faut toujours faire mieux que son voisin. La sexualité n'échappe pas à cette règle, quitte à tricher effrontément dans un questionnaire. La psychiatre californienne Linda Perlin Alperstein en est persuadée : on ne ment jamais autant que dans les sondages qui portent sur la sexualité. Ne vous laissez donc pas impressionner par les chiffres qui prétendent quantifier par exemple la libido d'un homme ou d'une femme. Intéressez-vous plutôt à vos propres besoins et à ceux de votre partenaire. Faites des petits pas qui comptent : un baiser à un moment de la journée où vous ne vous embrassez pas d'habitude, un petit cadeau sans raison particulière, un mot doux lorsque vous quittez la maison en premier le matin, etc.

## NE NÉGLIGEZ PAS VOTRE CORPS

*Idée préconçue :* la chute du désir et l'impuissance sont toujours d'origine psychologique.

*Faux. La réalité :* en cas de problème sexuel, parlez-en ouvertement à votre généraliste car les difficultés dans ce domaine sont souvent liées aux effets secondaires de certains médicaments. Ainsi, la plante vedette de ces derniers temps, le millepertuis, inhibe la libido. Les problèmes sexuels peuvent aussi traduire des dysfonctionnements organiques, des troubles du bilan hormonal par exemple (courants chez les femmes après une grossesse), ou de la thyroïde. En outre, l'une des causes principales d'une chute des pulsions sexuelles est le manque d'exercice physique. Les sports dans lesquels on se donne à fond, jusqu'à la limite de ses possibilités, augmentent presque automatiquement l'appétit sexuel (dans la mesure toutefois où l'on ne fait pas d'excès).

## Retrouvez le plaisir du flirt

*Idée préconçue :* Sigmund Freud nous a appris où se trouvaient les zones érogènes.

*Faux. La réalité :* le corps est dans son ensemble une zone érogène que l'on peut stimuler. En outre, chaque individu a des parties de son anatomie qu'il aime mieux que son partenaire ne touche pas. Ces préférences peuvent du reste évoluer au cours de la vie. Il se peut que ce qui plaisait tant à votre partenaire au début de votre relation lui semble aujourd'hui un peu ridicule, mais qu'il n'ose pas vous le dire. Partez donc tous les deux à la découverte mutuelle de votre corps pendant quelques minutes. Exprimez votre contentement via un langage physique, ou par un ronronnement de plaisir (mais modérez vos ardeurs lorsqu'il s'agit d'exprimer ce qui ne vous plaît pas !). Oubliez la séparation claire et nette entre « préliminaires » et acte sexuel proprement dit. Les médecins asiatiques sont d'ailleurs convaincus que l'acte sexuel complet (avec une transition fluide entre les préliminaires et le coït) est non seulement agréable, mais également excellent pour la santé, et qu'il augmente l'espérance de vie. Débarrassez-vous aussi de l'idée reçue selon laquelle vous devez absolument « conclure ». Surtout si vous n'avez pas fait l'amour depuis longtemps.

## Convenez de rendez-vous amoureux

*Idée préconçue :* les relations sexuelles doivent être spontanées.

*Faux. La réalité :* l'anticipation du plaisir est le meilleur aphrodisiaque. Souvenez-vous de votre premier rendez-vous : l'excitation, l'imagination et même les petites angoisses, tout a contribué à votre plaisir. Au milieu des désagréments de votre vie quotidienne aussi bien privée que professionnelle, prévoyez des « pauses câlines » de la même façon que vous fixez tous vos autres rendez-vous, même si cela ne vous paraît pas a priori très érotique !

## Soyez égoïste

*Idée préconçue :* les relations sexuelles réussies reposent sur une compréhension réciproque totale.

*Faux. La réalité :* comme l'a observé le conseiller sexuel Bert Zilbergeld, « les couples qui vivent en harmonie se plaignent bien plus souvent d'une vie sexuelle qui laisse à désirer que les couples qui se disputent sans arrêt ». Inutile pour autant de vous mettre artificiellement en colère ! Pour avoir une sexualité épanouie, chaque partenaire ne doit pas seulement penser à satisfaire les besoins de l'autre : il doit aussi réserver son propre plaisir. Même si après de nombreuses années passées ensemble cela vous paraît inutile, sachez aussi que, sur le plan sexuel, les hommes comme les femmes ont toujours envie d'être séduits et conquis.

# CINQUIÈME IDÉE : DÉCIDEZ ENSEMBLE DE CE QUE SERA VOTRE TROISIÈME ÂGE

De nombreuses personnes considèrent la vie comme une ligne continuellement ascendante. Elles vivent alors la vieillesse comme une déception, une crise, une erreur de parcours sur la voie qu'elles croyaient toute tracée. En réalité, notre vie suit une courbe qui est bien faite. Elle commence par monter en pente raide : nous grandissons, nous allons à l'école, nous nous formons, notre cadre de vie s'élargit, nous commençons à travailler, et nous fondons peut-être une famille. Au cours de cette première phase, nous avons d'importants besoins : une maison ou un appartement dans lequel

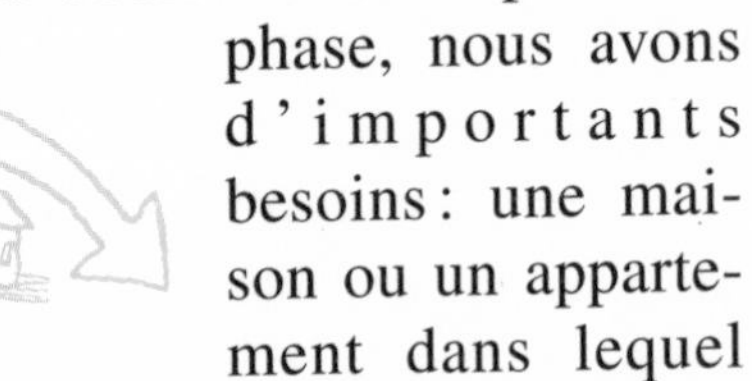

nous ayons suffisamment de place, peut-être aussi un jardin ou une maison de vacances, et tous les appareils et équipements nécessaires aux loisirs et au travail. Notre vie a de multiples facettes ; elle est compliquée, parfois en ce qui concerne les relations de couple (séparation, nouvelles unions). Et un jour, les enfants quittent le nid familial pour voler de leurs propres ailes. Puis, voilà que nous devenons progressivement moins actifs et que notre rayon d'action se rétrécit. La vie se fait plus simple, nous évoluons dans un espace plus restreint...

## Décidez à quarante-cinq ans de votre façon de vivre à soixante-cinq

Selon une étude de l'université de Hanovre, plus de 50 % des gens de plus de soixante-cinq ans ont un logement objectivement démesuré par rapport à leur situation : un trop grand appartement, une trop grande maison, un trop grand jardin. À un âge avancé, il est en effet difficile de remettre en question les modèles comportementaux acquis dans la jeunesse. Il vous faut donc anticiper et effectuer bien à l'avance les changements décisifs qui vous permettront de mieux vivre votre vieillesse. Soit vous le faites à temps et tout est très simple, soit vous ne le ferez jamais ! Comme l'explique la psychothérapeute américaine Myrne Lewis, c'est de ce fait avant quarante-neuf ans que vous devez effectuer les changements décisifs concernant la vie que vous souhaitez mener lorsque vous serez vraiment âgé(e). Plus tard, il vous sera très pénible de modifier vos habitudes. C'est également entre quarante et cinquante ans que vous devez réfléchir à la façon dont vous allez simplifier votre vie et au moment où vous allez le faire. Votre principal interlocuteur dans cette affaire est, bien sûr, votre conjoint(e). Si vous négligez de réfléchir ainsi à votre avenir, vous vous acheminerez doucement vers une crise : le choc de la retraite.

## N'AYEZ PAS LE RÊVE MALSAIN D'UNE VIEILLESSE IDYLLIQUE

En France aujourd'hui, les retraités bénéficient d'un système qui leur permet souvent d'avoir un niveau de vie équivalent, voire supérieur, à celui des personnes actives : ils conservent ainsi une grande maison, une grosse voiture, de fortes attentes. En outre, grâce à la médecine actuelle et à de meilleures conditions de vie, les personnes du troisième âge ne se sentent plus vraiment vieilles aujourd'hui. Beaucoup sont en bonne santé et intellectuellement alertes, et de nombreuses possibilités leur sont offertes pour rester actives, trouver de nouvelles occupations et jouir de la vie. En fait, selon le médecin Heidi Schuller, nous nous soumettons dans notre vieillesse à un stress trop important. Nous axons notre vie sur ses aspects matériels, ce qui est malsain, et n'accordons pas assez de place à la nécessaire maturation spirituelle. Rares sont les domaines où la voie de la simplification paraît aussi importante que la planification de la troisième et dernière partie de votre vie. Rappelez-vous votre jeunesse : vous avez peut-être apprécié d'être apprenti(e) ou étudiant(e). Prenez exemple sur cette phase de votre existence pour préparer votre vieillesse et pensez à reprendre des études ! Ou bien cherchez d'autres modèles : des personnes âgées satisfaites de leur sort qui pourraient vous faire profiter de leur expérience.

Voici à quoi pourrait ressembler votre projet :

- Lorsque nous serons vieux, nous nous retirerons dans un appartement plus petit ou bien dans une maison de retraite. Nous pensons le faire à un âge précis (au plus tard à soixante-dix ans, par exemple).
- Nous ne voulons plus tout faire tout seuls, mais nous acceptons de nous faire progressivement aider pour le ménage et le jardinage. La première étape sera…
- Nous resterons actifs et serons prêts à découvrir de nouveaux domaines, et nous voulons aussi apprendre au contact des jeunes. Notre première démarche sera de suivre un cours de…

- Nous voulons avoir du temps pour les choses importantes, et profiter de la vie. En premier lieu, nous…
- Nous souhaitons nous réconcilier dès aujourd'hui (et pas seulement quand nous serons âgés) avec…
- Pour éviter des disputes d'héritage, nous rédigeons dès aujourd'hui notre testament.
- Nous voulons mourir dans la dignité et ne pas subir d'acharnement thérapeutique. Nous en avons prévenu nos proches…

La voie de la simplification est devenue bien sérieuse ! Nous espérons que vous êtes maintenant assez détendu(e) pour aborder le dernier chapitre de cet ouvrage. Que se cache-t-il à l'étage le plus haut et le plus intime de la pyramide de votre vie ? C'est ce que nous allons voir…

# SIMPLIFIEZ-VOUS VOUS-MÊME

## Dernier étage de la pyramide

## OBJECTIF DE CETTE ÉTAPE :

Apprenez à mieux vous connaître
et approchez du but de votre vie

## Vos rêves de simplification : dernière nuit

Vous étiez au paradis... Vous évoluiez dans un vaste paysage et vous aviez parfois l'impression d'être parvenu(e) au faîte de votre existence. Cependant, tout le temps où vous traversiez les différents aspects de votre vie de couple, vous ressentiez une curieuse aspiration à dépasser cette relation.

Vous avez tout d'abord pensé qu'il s'agissait d'une crise. Vous étiez-vous lassé(e) de votre partenaire ? Aviez-vous envie d'une nouvelle aventure ? Non, ce n'était pas cela. Cette aspiration était plus ardente que le désir sexuel, plus forte que l'envie de découvrir une autre personne. Vous éprouviez un indescriptible besoin de solitude. Mais voilà qu'à présent, vous découvrez une vieille tour, qui surgit du brouillard. Vous hâtez le pas. Vous avez envie de lâcher la main de votre partenaire mais vous prenez soudain conscience qu'il n'est plus à vos côtés depuis un certain temps. Vous êtes seul(e). La tour vous fait penser à un temple antique, ou à une serre, ou encore à un petit château. Elle est par endroits couverte de lierre et de rosiers grimpants. Elle vous semble très ancienne, et pourtant, plusieurs de ses parties ont été récemment rénovées, voire complètement reconstruites. Étonné(e), vous faites le tour de l'édifice et vous constatez qu'il compte neuf portes. Cela aiguise votre curiosité. La première porte, que vous cherchez à ouvrir, est verrouillée. Vous parvenez seulement à entrouvrir la suivante. Vous inspectez petit à petit toutes les portes et remarquez qu'elles sont très différentes les unes des autres. L'une d'entre elles vous plaît mieux que les autres. Vous posez délicatement la main sur elle, et elle s'ouvre sans bruit…

À l'intérieur de la tour, il fait noir. Il faut du temps pour que vos yeux s'habituent à cette obscurité silencieuse. Vous portez ensuite votre regard vers le haut et… vous en oubliez de respirer ! Au-dessus de vous se trouve le ciel – une belle nuit étoilée, mais différente de celles que l'on voit sur Terre. Vous pensez que ce doit être la vue que l'on a lorsqu'on est dans l'espace, et vous sentez au même instant que vos pieds ne reposent plus sur le sol, que vous flottez en apesanteur. L'intérieur de la tour est immense et très profond. Vous écartez les bras et l'idée vous vient que toutes les étoiles de l'univers sont en fait vous-même !

Vous baissez ensuite les yeux et découvrez un énorme bloc de cristal, juste au-dessous de vous. Il est très loin, à une distance incommensurable. Vous descendez jusqu'à lui (à moins que ce ne soit lui qui s'élève jusqu'à vous ?) et vous pouvez presque l'effleurer. La même idée traverse de nouveau votre esprit : « Ce cristal, c'est moi ! Il a ma couleur, ma forme, ma lumière, ma beauté. Même si je ne suis pas encore exactement comme lui, c'est ainsi que je dois devenir. » Vous pensez que vous êtes parvenu(e) à votre objectif. Enfin, non, vous ne l'avez pas atteint... Vous l'avez vu, mais vous ne pouvez pas encore le toucher. Vous le connaissez, mais ne pouvez pas vous l'approprier. De la main, vous cherchez prudemment la porte, derrière vous. Elle est là. Vous êtes content(e) de la sentir sous vos doigts. Vous vous retournez et, cette fois, vous ne regardez plus vers l'intérieur de la tour. Vous considérez cette porte qui s'est ouverte, et vous ressentez une immense gratitude.

La tour qui se dresse au sommet de la pyramide de votre vie, c'est vous-même, votre personnalité, la façon dont elle s'est construite, a évolué et s'est affirmée au fil du temps, de jour en jour, d'année en année. Ce que vous avez vu à l'intérieur de cette tour dépasse largement votre individualité.

Ce que les psychologues appellent le moi, c'est votre être le plus profond, ce qui vous relie de façon unique à tous les autres êtres humains et à l'ensemble de la création. C'est ce moi qui vous donne la force de vivre. C'est cette source d'énergie (que l'on ne peut décrire qu'à l'aide d'images et de symboles) qui alimente votre objectif personnel dans l'existence, et que nous avons représentée dans le rêve ci-dessus sous la forme d'un morceau de cristal.

## PREMIÈRE IDÉE : TROUVEZ LE BUT DE VOTRE VIE

Personne n'est sur terre par hasard : nous avons tous un but dans la vie, chaque existence a un sens qui lui est propre. Chaque jour cependant, des centaines de milliers de choses nous détournent de notre objectif. La voie de la simplification va nous permettre de retrouver enfin une vision claire de celui-ci. Quelle que soit la vie que vous menez, la plus insignifiante, la plus chaotique, la plus pauvre spirituellement, elle a un but, qui a quatre sources :

### 1. La vie en soi

Nous sommes ici-bas pour perpétuer la vie, au sens biologique du terme : en ayant des enfants ou en permettant d'une manière ou d'une autre à d'autres individus de vivre. Il en va ainsi : nul n'est sur terre uniquement pour soi. Même le plus égoïste d'entre nous joue un rôle dans le grand édifice du vivant. Nous ressentons tous un profond respect pour la vie, mais souvent nous empruntons des voies détournées pour l'exprimer : cela peut être l'amour des animaux, la passion de la musique ou même l'inquiétude à l'idée que notre planète puisse bientôt disparaître. Si c'est votre cas, il est fondamental que vous compreniez bien ceci : si vous portez la vie en vous, c'est pour la transmettre.

## 2. Les souhaits des parents

Lorsque deux individus veulent un enfant, s'associe toujours à ce désir un autre souhait, rarement conscient, qui est plutôt une projection de leur inconscient : celui de leurs parents. Il les influence indirectement, à la façon d'une requête qu'on leur aurait fait parvenir dans une enveloppe cachetée et qu'ils n'auraient ouverte que plusieurs dizaines d'années plus tard… On demande ainsi à un enfant de :

- perpétuer le nom de la famille ;
- réconcilier, le cas échéant, la famille du père et celle de la mère ;
- sauver la relation de couple des parents, qui a échoué ;
- compenser une perte antérieure, la mort d'un autre enfant, par exemple ;
- mener à bien une mission que l'un des parents n'a pas réussie (faire fructifier une entreprise, par exemple) ;
- ou, tout simplement, rendre ses parents heureux par le simple fait d'exister !

Le prénom ou le surnom que vos parents vous ont donné peut vous donner un indice quant à ce qu'ils attendent de vous (en général, inconsciemment). Il est donc utile d'en chercher la signification, et les exemples abondent. Ainsi, une femme dénommée Irène (« paix », en grec) a découvert qu'elle avait été conçue pour apporter la paix dans une famille déchirée par les conflits. Un homme avait été baptisé Georges parce qu'il devait, comme saint Georges, terrasser le dragon des échecs professionnels répétés de la famille (ce qu'il réussit effectivement à faire). Un autre fut affublé du nom du frère de son père, son oncle, érigé en modèle par l'ensemble de la famille et mort au champ d'honneur ; investi d'une mission impossible, le neveu mit très longtemps à se libérer du joug du passé avant de pouvoir vivre sa propre vie.

## 3. Vos atouts et vos faiblesses

Si vous cherchez quelle orientation donner à votre existence, vos goûts et vos talents peuvent vous mettre sur la voie. Imaginez qu'une équipe de planificateurs célestes vous ait doté(e) avant votre naissance des atouts qui vous permettront de mener à bien votre mission sur terre. Vous êtes donc né(e) non pas avec des dons et des talents accomplis, mais plutôt avec certaines prédispositions que vous devez mettre en œuvre. Si, par exemple, vous êtes physiquement plutôt fluet, vous avez dû développer dès l'enfance d'autres aptitudes, d'autres penchants pour vous affirmer vis-à-vis des autres. C'est ainsi que vous êtes devenu un conteur hors pair, un bricoleur ingénieux ou encore un excellent musicien. Ainsi, vos atouts et vos points faibles vous façonnent un profil unique avec lequel vous tentez de mener à bien votre mission.

## 4. Votre rêve dans la vie

Chaque individu a un rêve. Un désir qui lui paraît plus vrai que la réalité. Une vision plus lumineuse que ce qu'il a sous les yeux. Malheureusement, la plupart perdent leur rêve de vue. Ils finissent par ne plus y croire. Ils se laissent convaincre de l'abandonner. Ils y renoncent parce qu'on les a persuadés qu'ils devaient y renoncer.

Lors de cette dernière étape sur la voie de la simplification, il s'agit que vous retrouviez ce rêve et, avec lui, le but de votre vie. Personne ne peut vous dire quel est l'objectif de votre existence : ni vos parents, ni l'entreprise pour laquelle vous travaillez, ni votre conjoint(e), ni vos enfants, ni aucune religion. Vous devez le découvrir par vous-même. Il se peut, cela étant, qu'il recoupe le désir de vos parents ou de votre conjoint(e), ou encore qu'il soit en phase avec vos croyances. Restez cependant vigilant(e) : méfiez-vous des objectifs d'autrui, qui n'ont aucun écho en vous et qui ne suscitent pas votre enthousiasme.

## DEUXIÈME IDÉE :
## DÉVELOPPEZ VOS POINTS FORTS

Il est regrettable que l'on ne prête pas davantage attention à la phrase clé du conseiller en stratégie Wolfgang Mewes, selon laquelle « si l'on se concentre sur ses points forts, on peut négliger ses faiblesses ». Nombre de gens pensent qu'il faut lutter contre ses faiblesses pour réussir dans la vie. Or, cela est vain pour deux raisons : d'une part, si l'on néglige ses points forts, on réussira – au mieux – à devenir *moyen* ; d'autre part, il est inévitablement démotivant de s'intéresser à ses points faibles.
Chaque individu a ses atouts. Le cocktail que composent ses talents, son expérience et son savoir-faire peut se révéler aussi unique que ses empreintes digitales. Font également partie de ses points forts les objectifs, les désirs, les modèles et les images qui orientent (consciemment ou inconsciemment) son développement, que ce soit de façon positive ou négative. D'autre part, plus les talents d'une personne sont

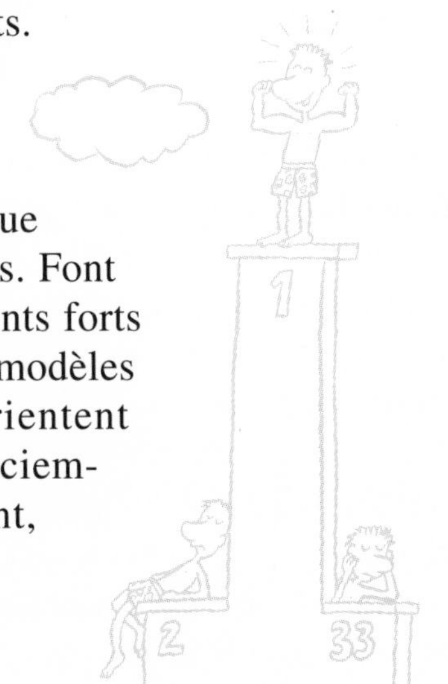

grands, plus ses lacunes sont importantes. On nous a appris à nous occuper prioritairement de ce que *nous ne savons pas* ou *ne voulons pas* bien faire. Il est pourtant évident que nous n'avons pas très envie de nous investir là où le bât blesse…

## Mes dix premiers atouts

Listez vos principaux atouts, de votre propre point de vue et de l'avis de votre entourage, tant sur le plan professionnel que personnel. Ne vous arrêtez pas avant d'en avoir trouvé dix.

Cochez maintenant les trois premiers selon vous. Ce sont vos *missions clés*. En matière de talents et de compétences, vous devez absolument simplifier la vue d'ensemble que vous avez de vous-même afin de pouvoir vous concentrer sur vos atouts majeurs.

Si vous avez du mal à déterminer quelles sont vos trois cartes maîtresses, procédez par élimination : rayez les vos points forts qui vous semblent les moins développés. Il ne restera bientôt plus que les meilleurs.

## Mes missions clés, professionnelles et privées

Posez-vous la question suivante : « Que dois-je faire et qu'ai-je envie de faire prochainement, dans ma vie professionnelle comme dans ma vie privée, pour avoir le sentiment d'être *heureux* (ou heureuse) et d'*avoir réussi*, au bon sens du terme ? »

Notez cinq objectifs que vous jugez prioritaires.

Parmi les tâches que vous vous êtes fixées, cochez celle qui est aujourd'hui *la plus importante* à vos yeux. Demandez-vous ce qui vous serait le plus utile pour vous rapprocher au plus vite de l'idée que vous vous faites du bonheur et de la réussite.

Écrivez à côté de chacune de vos priorités le nombre de mois dont vous pensez avoir besoin pour la mener à bien. Posez-vous ensuite la question suivante : « Sur laquelle ai-je envie de *me concentrer* pendant les six prochains mois ? »

Formulez vos missions clés de façon qu'il n'y ait, autant que possible, aucune dichotomie entre votre vie professionnelle et votre vie privée : intégrez également ces deux domaines et équilibrez-les le mieux possible. Réjouissez-vous de vos points forts et du fait qu'ils vont vous permettre de remplir mieux encore que vous ne le pensiez les objectifs que vous vous êtes fixés pour les six prochains mois.

## TROISIÈME IDÉE : SOULAGEZ VOTRE CONSCIENCE

La conscience morale est une importante conquête de l'évolution et du développement humain. Elle représente la composante incontournable d'une vie sereine et heureuse. Cependant, si les individus «dénués de toute conscience» et sans aucun égard pour leur entourage sont insupportables, l'autre extrême existe aussi. C'est de cette seconde catégorie d'individus que nous allons vous parler maintenant, ceux qui se sentent constamment coupables et qui cherchent systématiquement à se donner mauvaise conscience : dès qu'ils dépensent quelques euros pour se faire plaisir, qu'ils ne travaillent pas assez, qu'un de leurs proches tombe malade ou qu'ils refusent de rendre service à quelqu'un…

Si vous vous reconnaissez dans ce portrait, voici quelques conseils qui vous aideront à lutter contre ce sentiment de culpabilité aussi malsain qu'excessif.

### IDENTIFIEZ VOS «JUGES»

Bien des gens ont un sentiment de culpabilité exacerbé et portent sur leurs épaules un ou plusieurs «petits juges» qui leur disent ce qui est bien et ce qui ne l'est pas. Ces voix peuvent être celles de vos parents ou celles de vos frères et sœurs, ou encore celles de quelqu'un qui vous a jugé(e) dans votre enfance ou votre jeunesse. Cherchez à qui elles appartiennent et examinez ces « juges ». Parlez-leur, dites-leur que vous êtes maintenant largement en âge d'écouter votre propre conscience !

Beaucoup de gens s'estiment adultes alors qu'ils continuent à accorder beaucoup d'importance aux « petits juges ». Or, être adulte, c'est justement s'affranchir du jugement d'autrui. C'est devenir autonome, adopter ses propres valeurs et suivre sa propre voie.

Aussi, s'il vous arrive un jour d'entendre à nouveau l'un de vos anciens petits juges, balayez-le donc d'un revers de la main. Ce geste rituel vous aidera à faire la distinction entre votre jugement et celui que l'on vous a inculqué.

## Accordez du repos à vos « juges »

Les gens qui ont un fort sentiment de culpabilité travaillent souvent (physiquement ou intellectuellement) jusqu'à l'épuisement, sans se sentir moins coupables pour autant, du reste… Arrêtez donc ce cycle infernal avant d'être complètement éreinté. Dites-vous que vous avez fait votre possible, que vous avez donné le maximum. Puis adressez-vous à votre conscience comme s'il s'agissait de « petits juges »

que vous mettriez au lit en leur disant : « Même si je me tuais encore à la tâche pendant trois heures, vous ne seriez pas satisfaits. C'est pourquoi je préfère m'arrêter là et être frais et dispos demain matin. » Et allez vous coucher…

## Soyez vous-même

Les personnes minées par un fort sentiment de culpabilité vivent souvent dans plusieurs sphères bien séparées. Peut-être est-ce votre cas ? Vous êtes, par exemple, débordé(e) dans votre vie de famille mais vous n'en dites rien au travail, tandis que le surmenage vous guette dans votre vie professionnelle sans que vous en touchiez un mot à la maison. Lorsque vous êtes chez vous, les « petits juges » du bureau, perchés sur votre épaule, vous susurrent à l'oreille : « Ne dépense pas toute ton énergie à la maison, réserve-toi pour l'entreprise ! », tandis qu'au travail un petit juge qui a la voix de votre conjoint(e) vous rappelle de ne pas trop traîner. Mettez donc un terme à cette schizophrénie ! Ne niez pas vos problèmes, regardez-les en face. À la maison, dites ce que vous ressentez vraiment au bureau et, au travail, parlez des difficultés de votre vie familiale. Dans la mesure où cet élan de franchise ne dégénère pas en ragots ou en déballage impudique de sentiments, il vous soulagera et soulagera toutes les personnes concernées.

## Acceptez le revers de la médaille

Ceux qui souffrent d'un sentiment de culpabilité ont parfois l'impression de devoir constamment lutter pour éliminer le mal autour d'eux, ce qui est au-dessus de leurs forces. Si vous vous reconnaissez dans ce portrait, dites-vous que toutes les bonnes actions que vous entreprenez ont forcément un envers et qu'il n'est pas en votre pouvoir d'y remédier.

## Trouvez un confident

Cherchez une personne à laquelle vous puissiez tout raconter et à qui vous puissiez présenter tous vos « juges » en étant certain(e) qu'elle se contentera de vous écouter sans vous donner de conseils. Il peut s'agir d'un ami, d'un thérapeute ou d'un confesseur.

Si vous ne parlez pas de ce qui vous tient à cœur ou vous préoccupe en ce moment, c'est signe que vous vous le reprochez. Or vous n'avez pas à en avoir honte, puisque cela fait partie de vous. Tournez-vous vers au moins une personne en qui vous ayez confiance, et parlez-lui de ce que vous ressentez. Ne vous dites pas que vous n'en valez pas la peine ! Au contraire, si vous vous livrez davantage, vous serez plus haut(e) en couleur, et vous intéresserez davantage les autres.

## Projetez-vous dans deux générations

Projetez-vous dans l'avenir et pensez à vos petits-enfants (ou à vos petits-neveux) : vous pouvez constater qu'ils éprouvent les mêmes sentiments de culpabilité que vous aujourd'hui et qu'ils s'apprêtent à commettre les mêmes erreurs… Ce n'est pas le fruit de votre imagination, c'est un fait. Sachez qu'il ne tient qu'à vous d'éviter cela, en respectant les règles que nous venons de vous exposer. Alors, si vous ne le faites pas pour vous, faites-le pour les générations futures !

# QUATRIÈME IDÉE :
# DÉCHIFFREZ-VOUS VOUS-MÊME

## L'ENNÉAGRAMME, UNE RÉPONSE À LA QUESTION : « QUI SUIS-JE ? »

Nous rencontrons sans cesse les mêmes problèmes, répétons inlassablement les mêmes erreurs, échouons toujours au même endroit. Même si nous parvenions à mettre le doigt sur nos difficultés les plus caractéristiques, encore faudrait-il pouvoir développer des stratégies efficaces, parfaitement adaptées à notre cas, pour lutter contre ces compulsions. C'est exactement ce que vous propose l'ennéagramme (du grec *ennea*, neuf) dans la mesure où il établit votre propre modèle comportemental et en tire des conclusions fondamentales.

### *1. À chacun son objectif*

Nous avons tous notre propre conception d'une vie réussie et bien remplie, et c'est pour atteindre cet objectif que nous concentrons tous nos efforts et que nous essayons de développer nos aptitudes et compétences particulières. Il existe en vérité, à cet égard, autant de thématiques que d'êtres humains ; on peut néanmoins les regrouper en neuf catégories, les neuf profils que propose l'ennéagramme.

## *2. Nul n'est parfait*

Comme nous l'avons dit plus haut, l'important est d'être conscient de ses faiblesses et de développer ses points forts. Pour y parvenir, réaliser votre propre ennéagramme peut vous apporter une aide précieuse. Vous allez en effet découvrir à votre grand étonnement que c'est justement dans vos principaux points faibles que se cachent vos principaux atouts.

Comme une médaille, vos objectifs de vie ont deux côtés indissociables, le revers négatif n'allant pas sans la face positive. L'ennéagramme vous invite à développer vos points forts le mieux possible tout en prenant pleinement conscience de vos faiblesses. Il ne demande à personne de devenir un autre ; il n'exige jamais que l'on devienne un être parfait, sans défaut, sans tache... C'est en cela qu'il est si humain et si précieux.

## *3. Pas de hiérarchie entre les neuf profils*

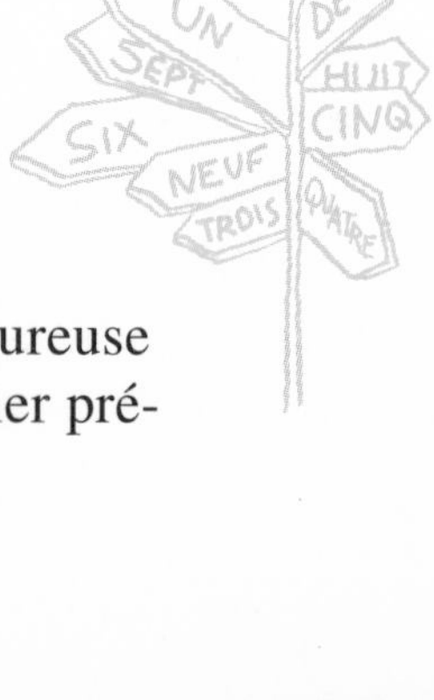

C'est en développant les points forts de *votre propre* modèle, et non en essayant de devenir quelqu'un d'autre, que vous allez mener une existence heureuse et épanouie. Ce conseil va se révéler précieux notamment dans votre vie de couple. Consciemment ou inconsciemment, nous voudrions tous que l'être qui nous est le plus cher pense comme nous, se sente comme nous, agisse comme nous... ou du moins un peu. Mais l'ennéagramme nous rappelle avec une clarté imparable que deux êtres distincts vivent dans deux réalités différentes. Il est important aussi de préciser que les divers profils qu'il définit sont de valeur équivalente.

## TEST DE L'ENNÉAGRAMME

### *Comment faire ce test ?*

Remplissez le questionnaire de façon spontanée et libre, en mettant l'accent sur votre moi intime. Si vous travaillez encore ou si vous exerciez autrefois une activité professionnelle, vous pouvez le remplir une seconde fois sous cet angle afin de découvrir le profil qui vous correspond dans le cadre particulier du travail.

Répondez en attribuant à chaque question 0, 1 ou 2 points de la façon suivante :

- si la réponse affirmative vous correspond *à moitié*, inscrivez 1 dans la case prévue à cet effet ;
- si elle vous correspond *entièrement*, inscrivez 2 ;
- si elle ne vous correspond *pas du tout*, inscrivez 0.

### *Test*

1. Je mise sur une bonne présentation, et aussi sur mes résultats et mon efficacité. ............ F ☐
2. Les autres me trouvent parfois hautain(e), d'humeur fantasque ou réservé(e). ............ G ☐
3. J'accorde beaucoup d'importance aux relations humaines et j'y investis beaucoup d'amour, de temps et d'argent. .................. E ☐

4. Je suis agacé(e) lorsque les autres ne font pas d'efforts et ne prennent pas leur travail au sérieux. ........................................ D ☐
5. J'ai autant de mal à demander quelque chose qu'à refuser un service aux autres .... E ☐
6. La compétition me stimule. ..................... F ☐
7. Je n'aime pas voir souffrir. ..................... E ☐
8. Le mépris des autres me blesse profondément. ........................................................ G ☐
9. Je travaille sans cesse sur moi-même et j'aimerais améliorer aussi les autres. ........ D ☐
10. Je fais toujours attention aux détails......... D ☐
11. Je suis solide, fort(e) et résistant(e). ........ B ☐
12. Je suis prêt(e) à assumer une direction et à exercer pouvoir et influence.............. B ☐
13. Je suis direct(e), franc (franche), et je donne mon avis sans mâcher mes mots, que cela plaise ou pas. ............................ B ☐
14. J'ai un tempérament sanguin, passionné et sensuel. ............................................ B ☐
15. J'aime être en compagnie de gens importants. ..................................................... E ☐
16. J'aime la solitude et je m'isole souvent. .. H ☐
17. Je suis sociable, fiable, et assez débonnaire. ...................................................... C ☐
18. Je préfère être en compagnie plutôt que seul(e). ................................................ E ☐
19. Je suis parfois apathique, fataliste, complètement résigné(e). ............................ C ☐
20. Je suis ordonné(e), raisonnable, économe et ponctuel(le). .................................... D ☐
21. Je suis rapide, souple, agréable, et je m'exprime bien. .................................. F ☐
22. Je suis sensible et je me fie souvent à mes impressions. .......................................... G ☐

23. Je suis doué(e) dans bien des domaines et je fais souvent plusieurs choses à la fois. A ☐
24. Je suis chaleureux (chaleureuse) et tourné(e) vers les autres. ........................ I ☐
25. Je suis réservé(e) et j'accorde beaucoup d'importance à ma vie privée. ................. H ☐
26. Il m'arrive de bluffer ou de déformer la réalité à mon avantage. ........................... F ☐
27. J'ai besoin de beaucoup de temps pour arriver à me reposer et à me détendre vraiment. ................................................ C ☐
28. Je mets du temps pour m'atteler à une tâche ; avant de m'y mettre, je m'occupe toujours d'un tas de choses sans importance................................................... C ☐
29. Je mets du temps à prendre une décision et j'ai du mal à m'y tenir............................ I ☐
30. J'aime bien démasquer les vantards et les menteurs................................................ B ☐
31. J'aime m'exprimer de façon imagée ou artistique. ............................................ G ☐
32. Avoir de nouvelles idées et les mettre en œuvre m'amuse. ........................................ A ☐
33. Je m'investis beaucoup dans les problèmes des autres. ................................................... E ☐
34. J'ai souvent l'impression de me sentir très proche de la nature et des autres êtres humains, voire de ne faire qu'un avec eux. C ☐
35. Je suis avare de mon temps, de mon argent et/ou de ma personne. ................... H ☐
36. J'aime profiter de la vie, presque à l'excès. ......................................................... A ☐
37. J'ai le sentiment d'être en permanence sous le contrôle de mon propre esprit critique. ......................................................... D ☐

38. J'ai une saine confiance en moi qui rejaillit souvent sur les autres. ................ F ☐
39. J'ai un sixième sens pour déceler les contradictions, et je recherche toujours les motivations des propos ou des actions des autres. .................................................. I ☐
40. Je n'ai pas toujours le tact qu'il faudrait. B ☐
41. J'ai souvent le sentiment que, dans l'intérêt d'autrui, mieux vaut que je me réfrène et que je ne déploie pas toute mon énergie. .................................................. B ☐
42. Je garde mes sentiments pour moi et j'ai du mal à les exprimer. ........................... H ☐
43. Je peux faire de gros sacrifices pour les autres. .................................................. A ☐
44. En cas de danger immédiat, je peux avoir une vision très claire de la situation et agir à la fois courageusement et prudemment. I ☐
45. J'arrive mieux à exprimer ce que je ne veux pas que ce que je veux. .................. C ☐
46. Je peux m'adapter aux besoins du marché et donner de moi l'image qui convient. .... F ☐
47. Je peux me mettre à la place de beaucoup de gens et comprendre tous les points de vue. .................................................. C ☐
48. Je peux m'enthousiasmer rapidement pour une chose et en découvrir les aspects positifs. .................................................. A ☐
49. Il m'arrive de traverser des phases mélancoliques ou dépressives. ........................ G ☐
50. J'accorde de l'importance à mes vêtements, à mon logement et à mon travail. .. G ☐
51. J'aime réussir et je n'aime pas que l'on me rappelle mes échecs. ........................ F ☐
52. Je résous mes problèmes en réfléchissant. H ☐

53. J'aime les règles claires et j'aime savoir à quoi m'en tenir. ........................................ I ☐
54. J'aime les gens spontanés, vifs, optimistes. ........................................................ A ☐
55. J'aimerais être considéré(e) comme quelqu'un d'unique, de particulier. ................ G ☐
56. Je soigne mes relations avec les gens des classes sociales supérieures. .................... F ☐
57. Je parle plus volontiers de mon travail que de mes sentiments. ................................ F ☐
58. Je m'énerve souvent et je suis intérieurement assez tendu(e). ................................ D ☐
59. Je sabote mes propres succès en me demandant constamment ce qui pourrait mal tourner. ............................................ I ☐
60. Je fais volontiers de beaux projets d'avenir, mais je sens mes limites pour ce qui est de les mener à bien. ........................... A ☐
61. En cas de stress ou en période de crise, je me protège derrière une apparence calme. H ☐
62. J'aspire à l'indépendance et à la liberté. .. A ☐
63. J'ai souvent envie de ce qu'ont les autres. G ☐
64. Je mets la barre assez haut et vis selon des valeurs qui me tiennent à cœur. ............... D ☐
65. Je me mets généreusement au service des plus faibles. ............................................ B ☐
66. Je préfère laisser pourrir les situations plutôt que de rechercher la confrontation. C ☐
67. J'aime aider les autres en leur donnant des conseils ou en agissant. ........................... E ☐
68. Je suis fidèle, fiable et loyal(e), qu'il s'agisse de ma famille ou de l'entreprise où je travaille. ........................................ I ☐
69. Je classe les autres en fonction des menaces qu'ils représentent ou non pour moi. ........................................................ I ☐

70. Je cherche à vivre des moments intenses, extraordinaires. .......................................... G ☐
71. Je m'associe volontiers avec les personnes qui connaissent bien mes spécialités.............................................................. H ☐
72. Je laisse l'initiative aux autres. ............... H ☐
73. J'enfreins les règles et je ne respecte pas les limites que l'on m'impose lorsque je ne suis pas convaincu(e) de leur bien-fondé. ...................................................... B ☐
74. J'aime découvrir les liens cachés. ........... H ☐
75. Je sens d'instinct ce qui est exact et ce qui est faux.................................................... D ☐
76. Je suis cultivé(e) et j'accrois en permanence mes connaissances par la lecture et l'observation. ........................................... H ☐
77. Je vois rouge lorsque je ne peux pas démontrer que j'ai raison. ....................... D ☐
78. Je doute souvent de moi et mets souvent en doute aussi l'autorité. ......................... I ☐
79. Je veux que les autres se sentent bien chez moi.............................................................. E ☐
80. Je sens venir le danger avant les autres..... I ☐
81. Je n'aime ni les conflits ni les disputes ; je souhaite avant tout qu'on me laisse en paix. ............................................................ C ☐
82. J'ai parfois l'impression d'être marginal(e) et que les autres ne me comprennent pas. ................................................ G ☐
83. J'ai parfois le sentiment que les autres m'épuisent au point de me rendre malade. E ☐
84. Je ne montre mon côté vulnérable et tendre qu'aux personnes en qui j'ai entièrement confiance. .................................. B ☐
85. Les travaux de routine m'ennuient. ........ A ☐

86. Comme tout ce qui est négatif me déprime, j'insiste toujours sur les aspects positifs des choses et j'essaie d'en découvrir. ...... A ☐
87. Sans les autres, je me sens triste et rejeté(e). ............................................ E ☐
88. Je n'ai pas mon compte de plaisir et de divertissement parce que je travaille trop. D ☐
89. Je fais toujours ce que je me suis promis de faire. ............................................ F ☐
90. Lorsque je me sens sous pression ou harcelé(e), je bloque et je ne fais plus rien. .. C ☐

## *Tableau de résultats*

| | Total des points par type de profil | Pondération par type de profil |
|---|---|---|
| A | .......................... | ............................ |
| B | .......................... | ............................ |
| C | .......................... | ............................ |
| D | .......................... | ............................ |
| E | .......................... | ............................ |
| F | .......................... | ............................ |
| G | .......................... | ............................ |
| H | .......................... | ............................ |
| I | .......................... | ............................ |

Dans le tableau ci-dessus, pondérez à l'aide des valeurs suivantes les points que vous avez obtenus :

A = 7, B = 8, C = 9, D = 1, E = 2, F = 3, G = 4, H = 5 et I = 6.

## *Analyse des résultats*

Vous pouvez maintenant déterminer le profil qui se dégage de votre ennéagramme. Plus vous comptez de points dans une catégorie de profil (c'est-à-dire pour une lettre donnée), plus celui-ci a de chances d'être le vôtre. Si vous comptabilisez, par exemple, plus de 20 points pour les profils 9 (lettre C) et 1 (lettre D), et moins de 20 points pour les autres, accordez une attention particulière à la lecture des descriptifs des profils 9 et 1.

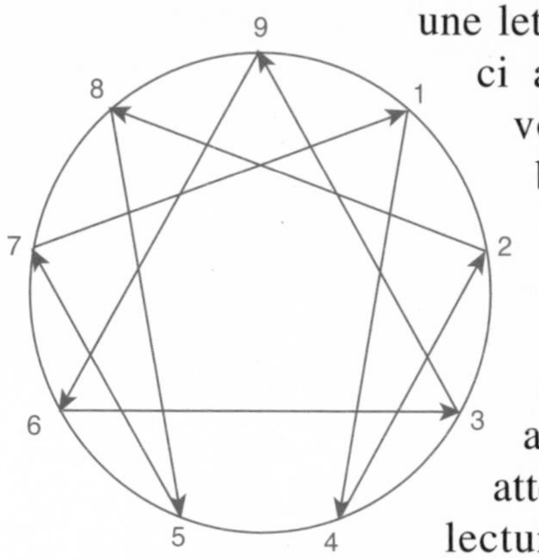

Le modèle comportemental pour lequel vous avez apporté le plus de réponses positives montre les points forts de votre personnalité : il pourrait bien s'agir de votre profil. Ce résultat sera confirmé :

1. si vous avez répondu par l'affirmative à plusieurs reprises aux questions correspondant aux deux profils situés de part et d'autre du vôtre *sur le cercle* ci-contre (exemple : c'est au point 9 que vous avez accordé le plus de réponses positives, et vous constatez également une forte concentration de « oui » aux points 8 et 1) ;

2. si vous avez également répondu « oui » à plusieurs questions correspondant aux profils reliés au vôtre par les lignes tracées *à l'intérieur* du cercle (exemple : c'est au point 5 que vous avez accordé le plus de réponses positives et vous constatez également une forte concentration de « oui » aux points 8 et 7).

Faites ensuite remplir le questionnaire par quelqu'un qui vous connaît bien en lui demandant de répondre de la façon dont vous réagiriez selon lui. Cette évaluation extérieure vous apportera des informations précieuses pour déterminer votre profil ; elle peut en outre donner lieu à une discussion intéressante.

## Les trois centres vitaux

Les neuf profils de l'ennéagramme s'organisent autour de trois parties du corps : le ventre, le cœur et la tête, trois « centres » qui renvoient à trois grandes zones du cerveau humain.

En effet, si l'on simplifie à l'extrême, le cerveau humain comprend trois strates. En suivant l'ordre de leur apparition au fil de l'évolution, on distingue le *cerveau reptilien* (qui remonte à l'ère des reptiles), le *système limbique* (qui date des premiers mammifères) et le *cortex* (propre aux mammifères plus récents). Cette division de l'encéphale en trois parties se révèle précieuse pour l'étude de la personnalité. Ce vocabulaire scientifique ne doit pas induire de malentendus. Le cerveau humain dit « reptilien » est nettement supérieur à celui des reptiles. En outre, les trois structures forment un tout indissociable, même si, selon les individus, c'est l'une ou l'autre qui prédomine, sous l'effet, du reste, de facteurs aussi bien acquis qu'innés.

Précisons aussi qu'en règle générale, les modèles comportementaux que nous proposons (et donc le total des points obtenus avec l'ennéagramme) concernent, dans l'idée de leurs auteurs, les adultes, c'est-à-dire les individus qui ont vingt ans et plus.

Ajoutons enfin et surtout que, comme toute typologie, celle-ci pourra paraître discutable, voire dépassée à certains égards... À cela nous répondons qu'elle ne doit pas être prise à la lettre : loin de nous d'imaginer des cloisons étanches entre les profils psychologiques définis ! Les passerelles entre ceux-ci sont en effet nombreuses, et, comme nous le disons toujours avec insistance, le vivant est infiniment complexe. Qui plus est, nous sommes les premiers, en souhaitant guider le lecteur sur la voie de la simplification, à penser que jamais, en ce qui concerne l'humain, les jeux ne sont définitivement faits. Il appartient à l'individu lui-même, dans une très large mesure, d'évoluer et de s'améliorer.

### *Les profils « viscéraux » (types 8, 9 et 1)*

Les individus correspondant à ces trois profils sont très dépendants des impulsions de leur cerveau reptilien. Or cette zone, qui est la plus ancienne de notre cerveau, assure nos besoins primaires, c'est-à-dire la survie de l'individu et de l'espèce. Elle régit donc notre alimentation, notre sécurité, notre comportement territorial, notre place dans le groupe et notre sexualité ; elle est le siège de l'énergie vitale et des instincts. Lorsqu'il y va de notre survie, le cerveau reptilien décide très rapidement, sur la base de perceptions sensorielles, par exemple s'il faut attaquer ou prendre la fuite. Si, dans une situation de conflit ou de stress, le sentiment qui l'emporte en vous est une sourde animosité, et si vous vous sentez irrité(e) et malheureux (ou malheureuse) « jusqu'à l'os », vous faites sans doute partie de cette catégorie d'individus que nous appelons « viscéraux ». Les trois profils visés ici font foncièrement *confiance* aux sensations de leur cerveau reptilien. C'est de là que le type 8 tire sa force et son côté franc et direct, le type 9 sa persévérance et sa propension à être content, et le type 1 ses certitudes et son caractère entier.

Comparé aux deux autres structures cérébrales, le cerveau reptilien, assez primaire, fait peu appel à la mémoire. Ses réactions sont pour l'essentiel « préprogrammées ». Elles ne nécessitent ni apprentissage ni réflexion, et peuvent donc être très rapides. Pour les « viscéraux », les choses se présentent toujours comme des questions *de vie ou de mort*. Leur leitmotiv est : « Suis-je maître de moi ? ». Lorsque leur autonomie est en danger, ils défendent par la *colère* leur énergie vitale, mais la forme de cette colère varie. Le type 8 s'embrase vite ; sa fureur, primaire, est dirigée vers l'extérieur et exprimée sans aucune retenue. Chez le type 9 en revanche, il s'agit d'une rage sourde, d'une forme d'agressivité passive qui se traduit par le refus et la résistance. Chez les individus du type 1, enfin, la colère est essentiellement intériorisée : pour légitimer leur mécontentement, ils en recherchent à la fois les causes et les coupables.

Les trois profils « viscéraux » ont une conscience aiguë de l'injustice et du manque de sincérité. Aucune autre catégorie de l'ennéagramme ne saurait rivaliser avec la 8 lorsqu'il s'agit de défendre les opprimés et les laissés-pour-compte, ou avec la 9 lorsqu'il faut réconcilier deux parties adverses qui se déchirent, ou encore avec la 1 lorsqu'il convient de s'engager à fond pour améliorer les choses. Du point de vue du cerveau reptilien, la douceur et la délicatesse sont un signe de faiblesse, qui indique que l'individu ne contrôle plus la situation. En période de crise, les « viscéraux » ont tendance à considérer les relations en terme d'affrontement, de *duel*. Le 8 posera la question : « Veux-tu de moi ? », le 9 : « Suis-je assez bien pour toi ? », tandis que le 1 demandera sans détour : « Partages-tu mon système de valeurs ? » En cas de difficulté relationnelle, un « viscéral » proposera un combat à armes égales : « Expliquons-nous ! » Mais *le problème* est que, pour s'imposer, il aura tendance à dévaloriser les autres.

## Les profils « sentimentaux » (types 2, 3 et 4)

Le système limbique (du latin *limbus*, bordure), qui date des premiers mammifères, enveloppe le cerveau reptilien ; il traduit les réactions instinctives de ce dernier en comportements plus nuancés. Au premier modèle, bipolaire, en noir et blanc, se substitue ici toute la palette des gris, l'éventail complexe des sentiments les plus divers, un entrelacs de bien et de mal, d'amour et de haine, de joie et de peine, d'irritation et de bonheur. Chaque individu a sa philosophie propre, qui évolue au fil du temps, mais il doit tout apprendre car il part de zéro. Le système limbique a une capacité mémorielle suffisante pour permettre un apprentissage et une formation très poussés.

Cette aire cérébrale est le siège de tous les *liens affectifs* : ceux qui unissent entre eux la mère et l'enfant, ou les membres d'une famille, d'une fratrie, d'une lignée, ou de toute société humaine. C'est également là que trouve son ancrage la relation qui fonde le couple.

Bien évidemment, les « viscéraux » et les « cérébraux » ont eux aussi accès aux fonctions sociales gérées par le système limbique mais, chez les « sentimentaux », celles-ci occupent une place primordiale. Comme ce dernier fait le lien entre les fonctions cérébrales primaires et les fonctions plus sophistiquées, les « sentimentaux » sont souvent beaucoup plus affectueux et plus proches de la vie et du vivant que leurs homologues « viscéraux », qui sont assez égocentriques, ou que les « cérébraux », qui sont plus réservés.

Dans les situations de stress ou de conflit, les « sentimentaux » peuvent exploser tout comme les « viscéraux », mais il leur arrive souvent de se sentir déchirés et de se dire « accablés par leurs sentiments ». Un conflit suscite en eux des sentiments contradictoires, bien plus complexes que les messages plus simples que perçoivent généralement les « viscéraux ».

Pour les « sentimentaux », la grande affaire est celle de l'*amour* et de la *passion*. Leur thématique se résume ainsi : « Comment cela se passe-t-il entre les autres et moi ? » Toutefois, lorsqu'un profil 2 se pose cette question, il est influencé par les états d'âme des autres. Le profil 3 aura, pour sa part, tendance à taire ses propres émotions et à reprendre à son compte les sentiments des autres dans une situation comparable. Un profil 4, enfin, sera à l'écoute de ce qu'il ressent, et il se laissera envahir par ses émotions.

En cas de problème relationnel, les « sentimentaux » ont tendance à considérer leur couple comme un *duo*. Ce seront des : « Ne me quitte pas ! Comment me perçois-tu ? M'aimes-tu ? » Les individus de cette catégorie cherchent avant tout à être appréciés à leur juste valeur, et sont en quête de reconnaissance. Leur *problème* est celui-ci : ils se fient à ce point à leurs propres sentiments qu'ils manquent d'objectivité. Ils risquent donc de se bercer d'illusions et d'aller au-devant de bien des déceptions.

## *Les profils « cérébraux » (types 5, 6 et 7)*

Le cortex est, chez l'homme, le siège de la réflexion ainsi que de l'analyse et du contrôle des réactions du cerveau reptilien et du système limbique. C'est lui qui régit le langage, la lecture, les processus créatifs, le calcul, l'organisation, bref, la pensée…

On sait aujourd'hui qu'il peut aussi modifier largement les ordres donnés par les deux autres structures cérébrales. C'est ce qui explique que l'on puisse non seulement guérir certaines maladies physiologiques mais aussi « réécrire » des souvenirs chargés d'affects en projetant des images dans le cortex. Cette partie du cerveau est extraordinairement riche : elle reproduit, par exemple, la structure du cerveau reptilien, et cette « copie de sécurité » ne mobilise qu'une infime partie de ses capacités ! Là encore, bien évidemment, le cortex joue un rôle important chez tous les êtres humains. Néanmoins, chez les « cérébraux » cette structure est prépondérante : ils ont en effet tendance à rester plongés dans leurs réflexions plutôt qu'à vivre des expériences dans le monde réel. Ils sont sous la domination de leur microcosme intérieur et voient la vie comme une énigme à déchiffrer.

Chez cette catégorie d'individus, tout tourne autour de la peur. Chez ceux du profil 5, celle-ci est intériorisée ; ils sont souvent en plein désarroi face à leurs propres sentiments et voudraient s'en libérer. Le profil 6 essaie, en revanche, de se dégager de son angoisse en l'extériorisant. Quant au profil 7, il projette ses peurs vers l'extérieur et se protège en se tournant vers les potentialités que lui offre sa vie intérieure. La thématique principale des « cérébraux » est la distance. Leur leitmotiv, « Qu'est-ce que je dois en penser ? », repose sur toutes sortes de doutes (« Tout cela forme-t-il un tout cohérent ? Suis-je sûr de moi sur ce point ? D'où me vient cette idée ? Que cache-t-elle ? »).

En période de crise, ces individus voient les relations humaines comme des « doubles solos » : le couple idéal, pour eux, c'est celui dans lequel chaque partenaire peut être seul. Le problème d'un cérébral est son isolement volontaire, le fait qu'il se retire du monde extérieur avec ses dangers, ses difficultés et ses souffrances, pour se réfugier dans le microcosme infini de sa vie intérieure. Il s'abrite par peur derrière une cuirasse personnelle de sorte qu'on le juge souvent dur et blessant.

## Comment s'orienter à l'aide des neuf profils

Nous allons maintenant vous présenter brièvement les neuf profils de l'ennéagramme. Dès la première lecture, vous allez certainement reconnaître quelques personnes qui correspondent exactement aux descriptions proposées. Ne soyez pas déçu(e), cependant, si vous ne vous reconnaissez pas vous-même tout de suite dans l'un des profils. Laissez le temps faire son travail et relisez les textes ci-dessous quelques jours plus tard. Pour la plupart des gens, les choses sont plus claires à la deuxième lecture. D'autre part, comme nous vous le disions plus haut, le cerveau et

les êtres humains sont complexes, et la typologie sur laquelle nous nous appuyons a pour but essentiel non pas de vous « classer » dans telle ou telle catégorie, mais de vous aider à voir plus clair en vous-même. Considérez donc les divers profils comme autant de pistes vous permettant de circuler plus aisément dans les labyrinthes des âmes… en commençant par la vôtre ! Ne vous étonnez pas non plus s'ils prennent parfois un tour critique, voire satirique. N'y voyez nulle dérision : comprenez plutôt nos remarques sur les points faibles, et les caricatures, comme des rubriques destinées à faire sourire. Si nous accentuons parfois le trait, c'est pour vous permettre de mieux prendre conscience des composantes de votre personnalité et de progresser. Et puis, la voie de la simplification passe aussi par l'humour !

### *Profil 1*

Il veut vivre sa vie *comme il se doit.* Il recherche la perfection, qu'il s'agisse de lui ou de tout ce qui l'entoure (l'appartement parfait, la relation parfaite, le travail parfait…). Sérieux, le profil 1 vit selon un système de valeurs élevé, et il s'efforce d'améliorer le monde en fonction de celui-ci. Il vit pour son travail et renonce souvent au plaisir. Il a tendance à se méfier de ce qui lui paraît trop simple ou trop facile. Il est convaincu que tout a un prix. Les erreurs et le désordre lui pèsent et le contrarient.

Son *point faible* : la colère, une rage intérieure que les autres perçoivent souvent comme de l'obstination ou de l'acharnement. Ses *atouts* : la persévérance, la patience et le calme. Avec un individu du type 1, il est facile d'aborder le sujet du *but de l'existence*. L'idée que la vie a un sens qui nous échappe lui est complètement étrangère. Les 1 sont ouverts aux idées et aux réformes politiques, sociales ou religieuses. Ils ont souvent pour projet de vie le désir de changer les choses, d'apporter du nouveau. À chaque profil de l'ennéagramme correspond un *pays symbolique*. Pour le 1, c'est la *Suisse.* Cela ne signifie absolument pas que ce pays est uniquement peuplé de 1, mais plutôt que, dans la mentalité mde ses habitants, on retrouve justement ce mélange de goût de la perfection et de rage sous-jacente, peut-être lié à un certain manque d'humour. L'apparence doit être irréprochable, et toute la culpabilité a tendance à être projetée à l'extérieur : (peu importe si l'argent placé en Suisse provient de sources douteuses, puisque celles-ci sont à l'étranger). Parmi les héros de profil 1 dans la *littérature*, citons *Mickey Mouse,* qui fait toujours ce-qu'il-faut-quand-il-faut, et *Astérix* et *Don Camillo*, qui ont chacun pour fidèle compagnon un 8 (Obélix et Peppone). La *caricature* du 1, c'est l'éternel critique qui ergote systématiquement en montrant du doigt les autres (par exemple, bien qu'il soit pour sa part incapable d'écrire, il gagne volontiers sa vie en corrigeant les erreurs des autres !).

### Profil 2

Il est l'incarnation de la *personne toujours prête à rendre service.* Ce qui compte pour lui, ce sont les relations avec les autres ; il prend des engagements envers eux et il veut se rendre utile. Au prix d'attentions et de flatteries, il cherche à obtenir la confiance. Son *point faible* : l'*orgueil.* Derrière son côté « tout pour les autres » se cache un furieux désir de reconnaissance, le besoin de se sentir indispensable, en fait une forme d'égoïsme. Le 2 sait en outre très bien utiliser l'argent : il en donne volontiers pour maintenir les autres dans un état de dépendance… Ses *atouts* : la *sociabilité* et la générosité. Sans sa participation, l'organisation d'un pèlerinage, par exemple, et les associations caritatives seraient impensables. Son *but dans la vie :* être proche des gens (*« Je veux donner de l'amour et en recevoir »* est sa devise).

Son *pays symbolique* : l'*Italie,* réputée pour ses églises et son hospitalité. Le centre de la vie italienne, c'est la famille, régie derrière une douceur de façade par la tyrannique *mamma* ! Le personnage principal du film *Le Parrain* est un 2 très marqué. Il incarne la force et le côté dur de ce dernier (« Je fais tout pour toi, mais j'attends en retour une immense gratitude et une confiance absolue »). Pensez aussi au gentil *P'tit Loup* des dessins animés de votre enfance qui voulait sauver les trois petits cochons des griffes de son très méchant papa. La *caricature* du 2, c'est une femme très maternelle, aux formes plutôt rondes ; elle cuisine bien, fait des gâteaux, n'oublie jamais un anniversaire, écrit de gentilles lettres et distribue des petits cadeaux à chacun, le tout jusqu'à l'épuisement (l'idéal féminin d'autrefois était un 2 qui se sacrifiait pour les autres).

### Profil 3

Sa vie rime avec *travail* et *réussite.* La compétition et l'appât du gain le stimulent : ils sont très importants pour son image (« Comment étais-je ? », se demande-t-il à tout instant). Le succès ne flatte pas seulement son ego, il a aussi une fonction sociale : le 3 veut réussir et être riche pour être reconnu et très entouré. Son attitude envers l'autre sexe est la même.

Son *point faible* : le mensonge, non seulement à l'égard des autres, mais aussi de lui-même. Il est capable de broder en racontant ses succès, voire d'inventer totalement des histoires, au point de se convaincre lui-même de leur vérité. En outre, sa conception des relations sociales a un côté tragique, car ce n'est pas en étant riche qu'on se fait de vrais amis.

Ses *atouts* : le *tact*, l'*optimisme*, la *profondeur des sentiments,* et la capacité de concrétiser ses idées. Au sein d'une équipe, il trouvera une solution même si la situation paraît sans issue, et son enthousiasme est communicatif. C'est pourquoi les 3 sont très souvent des entrepreneurs-nés. Son *but dans la vie*, c'est de transformer ses rêves en réalité (*« Je veux construire quelque chose »*, se dit-il). Son *pays symbolique* : les

*États-Unis.* Travail, performance, réussite, gratte-ciel, dollars... Rêve ou réalité, l'important, c'est de faire en sorte que cela « marche ». Le revers du sympathique optimisme américain et de son assurance, c'est la volonté d'hégémonie. Les perdants n'ont pas de place dans ce système ! Parmi les grandes figures *littéraires* du profil 3, citons *Robin des Bois*, qui use de ruse et de malice pour voler et tromper les riches afin de faire le bien et qui, pour finir, remporte le succès auprès de l'élue de son cœur (une noble, bien sûr !). Le personnage de *Donald*, chez Walt Disney, montre qu'il existe aussi des 3 « ratés », qui n'aiment pas s'avouer vaincus ! La *caricature* du 3, c'est le frimeur dans sa grosse voiture, qui annonce à tout le monde, sans y avoir été convié, le montant de ses revenus, la superficie de son appartement et autres indicateurs de sa réussite sociale (« Ma femme, ma maison, ma voiture, mon yacht… »).

## *Profil 4*

Le 4 est fondamentalement nostalgique. Son leitmotiv, c'est son *individualité* : il se veut unique, différent. Il a un flair infaillible pour tout ce qui est beau, authentique, et qui sort de l'ordinaire, mais il souffre du fait que trop de choses lui demeurent inaccessibles. Sensible, il est sujet à la mélancolie ou même à la dépression. Son *point faible* : l'*envie,* l'incapacité d'accepter que les autres aient ou vivent de bonnes choses. Le revers de l'individualisme du 4, c'est qu'il se compare sans cesse aux autres. Ses *atouts* : la créativité et l'art de découvrir chez autrui ce qui est différent. C'est au profil 4 que nous devons bien des innovations scientifiques et culturelles, car il n'a pas peur de la nouveauté et ne craint pas de penser autrement.

Son *but dans la vie*: retrouver l'authenticité (*« Je veux produire quelque chose de vrai, d'authentique »*, se dit-il). Son *pays symbolique*: la *France.* Ce pays se caractérise en effet par son respect des différences et sa forte résistance au modèle culturel américain. Le film *Mort à Venise*, de Luchino Visconti, décrit la fin tragique d'un artiste jadis adulé, qui est captivé par un bel adolescent, et auquel ne manque aucun attribut du profil 4.

La *caricature* de celui-ci, c'est l'artiste qui s'habille toujours en noir avec un foulard en soie mauve... Sa chambre est faiblement éclairée, avec une mise en scène très recherchée: on voit sur une table un vase de roses fanées, un recueil de poèmes ouvert et le journal intime de l'artiste.

### Profil 5

Le 5 accorde beaucoup d'importance à sa vie privée et aime se protéger des demandes et obligations venues de l'extérieur. Il accumule les connaissances, les analyse et les systématise, mais il manque d'intuition en ce qui concerne les situations et les hommes.

Son *point faible*: l'avarice, non seulement sur le plan financier, mais sur tous les autres. Le 5 est en effet très avare de son temps, de ses sentiments, de sa présence et de ses biens. Ses *atouts*: la *culture*, la *clarté d'esprit*, l'*objectivité* et l'*hospitalité.* Son *but dans la vie*: découvrir des domaines inexplorés (*« Je veux aller au fond des choses »*, pense-t-il).

Son *pays symbolique*: l'*Angleterre.* Forte de son « splendide isolement », cette nation de marins et d'archéologues a amassé des trésors en provenance du monde entier, et ses rois ont toujours été à la fois immensément riches et économes.

Le 5 le plus connu de la *littérature* est, cette fois encore, un Anglais : c'est *Scrooge*, le héros sans cœur des *Contes de Noël*, de Charles Dickens, qui a servi de modèle à Picsou. La *caricature* du 5, c'est le scientifique austère (barbu, si c'est un homme !), cloîtré dans son bureau avec ses livres et son PC, et relié au monde extérieur uniquement via Internet. Lorsqu'il quitte sa tour d'ivoire, c'est de préférence pour voyager – mais jamais sans son appareil photo !

### *Profil 6*

Le 6 est fidèle, loyal, fiable, chaleureux ; il a l'esprit d'équipe, mais il est aussi très prudent. Il se protège contre ce qui le menace en cherchant refuge auprès d'une autorité (vis-à-vis de laquelle il reste cependant très critique). Il a un sens aigu de la hiérarchie et a toujours besoin de savoir qui est son supérieur et qui est son subordonné, et il se montre volontiers solidaire des faibles et des opprimés. Son *point faible* : la peur. Dans les discussions, il demande toujours : « Mais ne risque-t-on pas ceci ou cela… ? » Il recherche la sécurité et évite, dans la mesure du possible, de mal se comporter. L'une des surprises que nous dévoile l'ennéagramme, c'est que la peur n'est pas l'apanage primaire des sentimentaux, mais plutôt celui des cérébraux ! Ainsi, cette peur traduit la prise de conscience de dangers potentiels ; dans les cas extrêmes, elle peut tourner en vision apocalyptique du monde. Ses *atouts* : la *confiance* qu'il inspire et, surtout, le courage. Un 6 qui a surmonté sa peur et sa prudence est le plus valeureux des hommes ! Les héros des temps de guerre sont généralement des 6.

Leur *but dans la vie* : mettre leur vigilance et leur prudence au service de leur communauté (*« Je veux offrir des certitudes »* est leur devise).

Leur *pays symbolique* : l'*Allemagne.* La diligence, le courage, et même la bravoure, sont des vertus typiques des 6. Encore faut-il toutefois qu'ils ne s'en remettent pas aveuglément à l'État ou à tel ou tel système idéologique faisant campagne sur le thème de la sécurité, et qu'ils sachent au contraire prendre leurs responsabilités et rester vigilants.

*Kevin Costner* donne une assez bonne idée du profil 6 dans le film *Bodyguard.* Avec un flair infaillible, il évite les dangers, prêt à donner sa vie pour défendre ses protégés. Quant à *Woody Allen*, il joue presque toujours le rôle d'un 6 dans ses films, en particulier dans *Zelig*. La *caricature* du 6 est un individu silencieux, habillé de beige ou de gris souris, qui n'ose regarder personne dans les yeux. Mener une double vie l'amuse, comme le fait d'être quelqu'un de radicalement différent de celui qu'on croit.

## *Profil 7*

Le 7 est optimiste, tourné vers l'avenir, vif et capable d'enthousiasme. Sa préoccupation première, c'est le *bonheur*. Il a tendance à faire abstraction des aspects douloureux de la réalité, préférant se tourner vers les choses positives, pour lesquelles il a une sorte de sixième sens. Il aime ce qui est créatif. Il veut aussi que tous ceux qui l'entourent se sentent bien, et il a beaucoup de mal à dire non et à poser des limites claires. Son *point faible* : la *démesure*. Sa devise : « Toujours plus ! » Son rêve : la société d'abondance et de consommation. Mais il a tendance à abuser de tout : il mange, travaille et exige tant de lui-même que tout finit par ne plus être agréable ! Ses *atouts* : la *sérénité* ainsi que l'*esprit de synthèse et d'innovation*, associés à un pragmatisme qui lui permet de financer et de réaliser ses projets. Son *but dans la vie* : être heureux et permettre à d'autres de l'être également (« *Je veux faire le bien* » est l'expression de son plus cher désir).

*Peter Pan*, ce jeune garçon, qui ne veut pas vieillir et qui vit au Pays imaginaire, est un 7 célèbre. D'ailleurs il vole, un vieux rêve des 7, qui recherchent toujours la facilité !

Le *pays symbolique* du 7 : l'*Irlande*. Grâce à leur musique gaie et à leur devise *Could be worse* (« Ça pourrait être pire ! ») – peut-être aussi à cause d'une importante consommation d'alcool... –, les Irlandais ont si bien supporté la pauvreté, et avec un tel optimisme, qu'ils ont fait entrer leur pays sur la voie du miracle économique européen. La *caricature* du 7 : un être gai et serein (au visage encadré de boucles d'enfant). Pour lui, la vie est un buffet bien garni qui offre toutes les possibilités. Sur le plan professionnel entre autres, il a sans cesse besoin de changements. Dormir peu lui convient : il a bien trop de choses à découvrir !

### Profil 8

Ce qui caractérise un 8, c'est sa *puissance*. Il déborde d'énergie, il est direct et il recherche la confrontation. Il force le respect par son allure décidée, qui intimide parfois. Mais il est plus doué pour donner que pour recevoir. Derrière sa force se cache en fait une grande vulnérabilité. Le *point faible* d'un 8, c'est son *manque de tact*. Il ne sent pas toujours à quel point il peut blesser les gens lorsqu'ils franchissent certaines limites. Ses *atouts* : sa *solidité* et un *exercice bien compris du pouvoir*. Pour défendre ses protégés, il n'hésite pas à se jeter à l'eau ; il supporte remarquablement bien les conflits et se bat contre l'injustice.

Son *but dans la vie* : défendre les faibles et mettre un terme à l'oppression (« *Je veux combattre pour le bien* », s'exclame-t-il). Son *pays symbolique* : l'*Espagne*. Le 8 aime la corrida et aussi les calvaires qui ponctuent le pays. Mais derrière son *machisme* se cache peut-être un manque de confiance en lui-même s'il s'efforce de donner de lui en permanence une image de force et de puissance. L'acteur *John Wayne* est un bon exemple de 8 : l'imposant meneur (moins à l'aise qu'on ne croit) maîtrise en général la situation et réussit à sauver les siens. La *caricature* du 8, c'est une « armoire à glace », une force de la nature qui porte des chemises à manches courtes en plein hiver, et qui défie la météo comme tous ses autres ennemis !

## Profil 9

Les 9 sont *paisibles* et facilement *contents*. Ils aiment l'harmonie et le confort. Ils ont des habitudes bien ancrées, avec une certaine tendance à la dispersion et à l'oisiveté. Très compréhensifs, ils ont beaucoup de mal à prendre parti et à se décider. Ils sont négligents et ils pêchent souvent par omission pour cacher leur *point faible* : la *paresse*. « Mais je n'ai rien fait ! », répètent-ils à tout bout de champ, croyant ainsi se disculper. Leurs *atouts* : *le goût du consensus* et l'*énergie*. Lorsque les 9 renoncent à leur confort et à leur nonchalance, ils sont capables d'être extrêmement dynamiques. Un grand nombre d'entre eux ont ainsi de multiples passe-temps et sont sans cesse à la recherche de nouveaux défis leur permettant de fuir l'ennui qu'ils redoutent tellement. Leur *but dans la vie* : un environnement de paix où il y ait place pour tous. (*« Je veux tous vous réconcilier »*, disent-ils avec enthousiasme).

*Balou*, l'ours du *Livre de la jungle*, de Rudyard Kipling, incarne la philosophie pacifiste du 9 : (*« Il en faut si peu pour être heureux ! »*, proclame-t-il volontiers). Son *pays symbolique* : l'*Autriche.* Au cours de l'Histoire, ce joyeux pays a agrandi son territoire moins par la guerre que grâce aux mariages judicieux de ses souverains. Le café viennois, lieu de détente dans lequel on peut passer sa journée devant une tasse de chocolat, est un lieu typiquement 9.

La *caricature* de ce profil, c'est l'individu qui aime flâner, ou grignoter des chips en robe de chambre, ou encore passer tout une soirée de la télévision aux jeux vidéo sur ordinateur…

## Principaux arguments contre cette typologie

À ceux qui demeurent hostiles à ces « profils », nous pouvons dire (ou plutôt redire, en y mettant toute l'insistance voulue) que toute typologie n'est qu'un outil d'analyse et de réflexion. Celle que nous proposons ici n'a d'autre prétention que de vous aider dans la connaissance de vous-même et dans la recherche d'une vie plus simple et plus riche. Et certes, si elle y contribue tant soit peu, ce sera déjà beaucoup !

Cela étant, voici les objections les plus courantes contre l'ennéagramme, et ce que l'on peut en dire.

### « *Je me retrouve un peu dans chaque profil* »

C'est ce que disent certains à la première lecture de ce descriptif. En fait, chacun des neuf types regroupe des observations psychologiques que nous estimons pertinentes. Plus vous vous serez intéressé(e) sérieusement à vous-même, plus vous aurez l'impression de vous reconnaître dans l'un ou l'autre. Dans tous les cas, vous ne pourrez tirer pleinement parti du potentiel de votre personnalité qu'après avoir trouvé la thématique principale de votre vie : cela demande assurément réflexion, et nous pensons pouvoir vous y aider.

### « *N'y a-t-il pas des types mixtes ?* »

Il est clair que, dans la réalité, les choses ne sont pas aussi tranchées que dans les nécessaires modèles théoriques ci-dessus. Et, de fait, la typologie de l'ennéagramme présente des « ailes ». Cela signifie qu'un 7, par exemple, est plus proche des traits de caractère de ses deux « voisins », le 6 et le 8, que de ceux des autres profils. L'ennéagramme ne déploiera toute sa puissance que lorsque vous aurez commencé à « travailler » sur *votre* profil et que vous saurez interpréter les points que vous aurez obtenus.

### « Je corresponds à trois ou quatre profils »

Comme à la roulette, la boule finira par atterrir dans une case et y restera ! Que votre désordre intérieur cesse, et vous allez enfin savoir à quelle thématique de vie vous allez devoir travailler. Si le test vous conduit à plusieurs modèles au point qu'il vous laisse dans une incertitude totale, relisez attentivement tout ce qui précède !

### « Je suis… un 10 ! »

Au terme d'une phase d'observation suffisamment longue, tout individu devrait pouvoir être classé dans l'un des neuf profils. Depuis plus de vingt ans, l'ennéagramme a fait ses preuves. Nous qui avons essayé de nombreuses méthodes, nous pensons qu'il s'agit vraiment de l'*outil* le mieux adapté à l'auto-analyse. Le terme a son importance : il s'agit là d'un outil d'analyse, qui vous permettra de progresser, à condition que vous sachiez l'utiliser.

### « Je ne veux pas qu'on me mette dans une case »

Ne voyez pas les neuf types de l'ennéagramme comme des « cases » ou des « tiroirs », mais plutôt comme des panneaux indicateurs qui vous guident à l'intérieur d'un labyrinthe. Votre personnalité est si complexe et si diverse que, sans cette aide, vous aurez du mal à découvrir vos vraies forces et vos vraies faiblesses.

## Notre ultime conseil

Nous ne réalisons véritablement que ce que nous prenons la peine de noter. Maintenant que vous êtes familiarisé(e) avec notre quatrième idée simplificatrice, commencez à y travailler dans les trois jours qui viennent. Déterminez votre objectif personnel et notez chaque jour ce que vous auriez dû faire d'une tout autre façon pour vous simplifier la vie ; inscrivez aussi ce que vous pensez et ressentez, et la façon dont vous voulez désormais vous y prendre pour atteindre votre but.

### *Votre journal intime*

Pour mieux se connaître et pour jouer vraiment un rôle actif dans la vie, rien de tel que la bonne vieille recette du journal intime. Les exemples abondent de personnages célèbres qui ont tenu leur journal.

Dans cette entreprise, il est important de respecter quelques règles toutes simples :

1. Choisissez un beau cahier broché (pas de feuilles volantes ni de cahier à spirale) et un stylo qui vous *plaisent*.

2. Rappelez-vous que, comme son nom l'indique, votre journal intime vous est *exclusivement réservé* ; il n'est ni fait pour vos descendants, ni destiné à être publié pour la postérité.

3. Rédigez-le avec *spontanéité* : laissez-vous aller, et ne vous inquiétez pas des fautes d'orthographe ! Un journal intime n'est pas un concours d'écriture et personne, à part vous, ne doit le lire.

4. Soyez toujours *sincère* : ne censurez pas plus le contenu que la forme. Le premier commandement de cette entreprise, c'est la franchise.

5. Montrez de la *persévérance* : fixez un moment dans la journée où vous devez, quoi qu'il arrive, rédiger votre journal. Et sachez que ce n'est en général qu'au bout de trois mois que l'on commence à avoir les idées claires...

6. Écrivez si possible votre journal *tôt le matin*. Se lancer dans l'écriture alors que l'on est encore frais et dispos a fait ses preuves. Installez-vous dans un endroit calme, éventuellement devant une tasse de thé ou de café, et considérez ce travail d'écriture moins comme un retour en arrière que comme un moyen de bien commencer la journée.

7. Le premier effet positif de votre journal, que vous allez constater en quelques jours à peine, c'est un sentiment de *liberté*. Bien vite, la journée qui s'offre à vous ne vous apparaîtra plus comme un

devoir à accomplir ou un labyrinthe à parcourir, mais plutôt comme une grande feuille de papier vierge que vous pourrez remplir à votre guise.

8. Si vous hésitez à vous lancer dans cette aventure, *faites un essai*. Commencez par tenir un journal de vacances. Prenez un beau cahier et un bon crayon et écrivez seulement sur les pages de droite. Vous illustrerez plus tard les pages de gauche avec des photos, des cartes postales, des dessins, des tickets de musées et d'autres souvenirs.

## Objectif atteint ! Du rêve à la réalité

Une fois parvenu(e) à la fin de votre parcours, vous ressortez de la tour qui couronne le dernier étage de la pyramide de votre vie et regardez derrière vous : vous vous sentez étrangement calme. La voie de la simplification a fait de votre vie une œuvre d'art. Vous remarquez que le chaos où vous vous trouviez s'est dissipé, et vous avez le sentiment que votre existence était, depuis le début, organisée selon un plan secret que vous découvrez aujourd'hui. Vous descendez lentement l'escalier – plus aisément que vous ne le pensiez. Vous remontez à nouveau quelques marches et vous riez de joie. Tout est devenu plus facile, la brume s'est levée, la lumière du jour et l'air frais pénètrent partout. Vous vous mettez alors à danser sur le grand escalier…

Au terme de la voie de la simplification, votre vie ne sera pas encore parfaitement organisée. Vous continuerez d'avoir, de temps en temps, des problèmes d'argent, ou de vous sentir parfois stressé(e) par manque de temps ; il vous arrivera de tomber malade et tout n'ira pas toujours comme sur des roulettes avec vos collègues, les membres de votre famille ou votre partenaire. Néanmoins, votre vie ne sera plus le règne du désordre et de l'aléatoire, mais un édifice transparent au sein duquel vous ne vous perdrez plus. Les événements chaotiques ponctuels qui ne manqueront pas de se produire ne vous feront plus sortir de vos rails, ni douter du sens de votre existence. Vous aurez suffisamment de moyens à votre disposition pour « réparer les pannes », éliminer les obstacles et dégager la voie, et pour trouver la paix intérieure. La raison de ces progrès ? Vous savez désormais que votre vie n'est pas un vulgaire tas de cailloux, mais une *pyramide* stable et unique, la vôtre !

# ANNEXES

## Le cycle du papillon : sortez de votre cocon

Mettre en parallèle les diverses phases de la voie de la simplification et le cycle du papillon devrait vous aider à voir plus clair en vous.

Après une dure vie de chenille, essentiellement consacrée à absorber voracement toutes sortes de choses (dans le cadre d'une formation, par exemple), vous subissez tout d'abord une douloureuse transformation en chrysalide (une crise éclate), puis vous déployez vos ailes et entamez une paisible vie de papillon (traduisons, sur le plan professionnel, par une promotion). Ce cycle va se reproduire plusieurs fois au cours de votre existence, peut-être pas à chaque étage de la pyramide de votre vie, mais certainement aux étapes qui vous paraîtront les plus compliquées. On croit souvent que la vie d'un papillon est brève comparée à celle d'une chenille. Pourtant, chez de nombreuses espèces, c'est l'inverse : la longue vie du premier fait suite à une phase courte mais intense à l'état de chenille, puis de

nymphe. Certaines espèces de lépidoptères parcourent d'ailleurs en volant des milliers de kilomètres pour effectuer, comme les oiseaux, des migrations qui les emmènent d'un continent à l'autre... Cependant, toutes les chenilles ne se métamorphosent pas en papillons, et certaines n'atteignent même pas le stade nymphal. Leur vie leur semble sans doute, d'une certaine manière, très agréable et gratifiante, et elle a sa propre dynamique. Et vous connaissez certainement des individus qui vous mettent en garde lorsque vous leur faites part de vos aspirations, de votre rêve d'atteindre un stade supérieur: ils voudraient vous faire croire que, s'il existe des « papillons », leur vie libre est réservée à quelques rares élus. Or, la voie de la simplification peut vous aider à ne pas mourir chenille ! Il est absolument essentiel que vous appreniez à sortir de votre cocon et à déployer vos ailes en fonction de vos propres possibilités. Nous allons donc passer en revue pour vous les différentes phases de cette métamorphose.

### *1. Petite chenille deviendra grande...*

La devise de cette première étape sur la voie de la simplification pourrait être: « Toujours plus ». C'est en effet au cours de cette première partie de la vie, celle de chenille, que l'on « absorbe » une multitude de choses, c'est-à-dire que l'on grandit, que l'on apprend et que l'on mûrit. « Complexification » ferait également un bon slogan pour cette phase, tant il est vrai que la voie de la simplification ne commence jamais par la facilité.

### *2. Une chenille bien grasse*

La deuxième étape consiste à prendre conscience de ses propres limites. Nous butons alors sur une question récurrente délicate : « Que vais-je faire de ma vie si je continue comme aujourd'hui ? Est-ce vraiment tout ce que j'avais à attendre ? »

Les individus qui meurent au stade chenille n'ont pas atteint le but de leur existence. C'est dans cette phase en effet qu'apparaît le besoin aigu de simplification. Mais… par où commencer ?

### 3. Une chrysalide

C'est au cours de cette troisième phase que vous allez peut-être vous décider. Un grand nombre d'individus se cantonnent à l'état de chenille par peur du changement. Ils ne veulent pas renoncer à leur situation confortable. Cependant, une chenille n'a de chances de devenir papillon qu'une fois dans sa vie : c'est un moment de crise, une petite mort. Seuls ceux qui osent s'aventurer sur le chemin qui s'enfonce dans les ténèbres pourront atteindre leur but: ceux qui ont le courage de tout abandonner pour se transformer en chrysalide.

### 4. Un papillon

La simplification, c'est en fait une transition vers la vie facile du papillon. Pour y parvenir, on gagne à élaguer. Le papillon vole en voyageant léger, il se nourrit d'aliments liquides et jouit de la liberté – une forme saine d'égoïsme, sans doute. Un film pourrait se terminer sur l'image d'un papillon s'envolant vers le

soleil couchant ! Mais la voie de la simplification ne s'arrête pas là : elle va plus loin…

### *5. Des œufs de papillon*

Les papillons viennent au monde pour pondre des œufs. Toutefois, ce ne sont pas les chenilles qui pondent des œufs : ce sont les animaux adultes, qui se sont métamorphosés après une grande crise, et qui maîtrisent l'art de voler. C'est là le grand mystère de la vie, ce qui la rend si passionnante et si imprévisible…

## Suivez l'exemple du papillon

Lorsque vous vous lancez dans un nouveau projet, lorsque vous voulez réaliser un rêve, lorsque vous abordez d'une façon ou d'une autre une nouvelle phase de votre existence, préparez-vous mentalement en observant les règles qui suivent.

### *Soyez actif et non passif*

Ne réagissez pas, agissez ! Exprimez vos souhaits à la voie active et ne vous laissez pas porter par le courant. *Ne dites pas :* « Je voudrais être nommé(e) chef de service », *mais plutôt:* « Je voudrais diriger le service et le transformer à ma façon. »

### *Dirigez votre vie*

Devenez à la fois scénariste et metteur en scène de votre vie. Ne vous contentez pas d'y être un acteur ou un simple figurant. Formulez vos objectifs de façon constructive.

*Ne dites pas :* « Je voudrais faire une croisière sur le Nil », *mais plutôt:* « Je veux découvrir l'Égypte et le Nil en bateau. »

### *Ayez des ailes*

Soyez persuadé(e) que vous avez des capacités encore insoupçonnées (vos ailes de papillon), qu'il ne vous reste plus qu'à développer et à mettre en œuvre. L'essentiel de votre potentiel ne vous viendra pas de l'extérieur : il est en vous, et il ne tient qu'à vous de le réveiller. Formulez vos objectifs comme s'il s'agissait de cultiver vos dons. *Ne dites pas :* « Je voudrais que l'on m'apprenne l'espagnol », *dites plutôt :* « Je veux améliorer mes connaissances linguistiques pour pouvoir parler espagnol couramment. »

## ASSOCIEZ VOTRE CONJOINT(E) À VOTRE DÉMARCHE

Le risque majeur, lorsqu'on change de façon de vivre, c'est que le partenaire ne suive pas. Une femme qui, après avoir élevé ses enfants, souhaite reprendre une activité professionnelle, risque par exemple de se heurter à l'incompréhension de son mari. Un employé qui veut s'installer à son compte ne pourra peut-être pas compter sur le soutien de sa femme. C'est dans ce type de situation que la technique du papillon peut apporter une aide précieuse. Expliquez clairement à votre conjoint(e) qu'après l'effort vient le réconfort, qu'à l'éprouvant stade « chenille » succédera la phase du papillon : votre vie sera plus riche, elle aura plus de sens, elle vous apportera davantage de satisfactions, et, probablement, des revenus plus élevés. Fixez-vous une échéance, une date butoir à laquelle la phase chenille devra absolument être terminée, pour que votre partenaire puisse souffler. Si vous ne respectez pas ce délai et si votre « traversée du désert » dure plus longtemps que prévu, il (ou elle) sera en droit d'exiger que vous modifiiez vos projets !

## PAYEZ LE PRIX

Il existe bien des façons stériles de rêver du bonheur : imaginer que l'on va gagner au Loto, ou recevoir un héritage, ou « être reconnu » – en un mot croire que les richesses (intérieures ou extérieures) peuvent tomber du ciel ! La technique du papillon nous apprend au contraire que l'on n'a rien sans rien. Elle nous enseigne aussi, à l'inverse, que tout effort est payant. Aussi, si vous avez l'impression que votre vie entière se résume à la pénible existence d'une chenille, c'est que vous faites erreur quelque part, car chaque épreuve devrait avoir une contrepartie positive.

Cinq grandes options s'offrent à vous pour vous épanouir pleinement. Sélectionnez ci-dessous celles qui vous semblent les mieux adaptées à votre personne.

## *Évoluez !*

Vous pouvez certainement réussir à faire évoluer en douceur vos façons de vivre et de travailler. Au lieu de vous énerver, de vous lamenter, d'ergoter ou encore de tout critiquer, canalisez plutôt votre énergie pour prendre de nouvelles habitudes, plus positives.

*Exemples :* tout en restant dans la même entreprise, changez de département ; ne déménagez pas, mais réaménagez votre appartement (permutez votre chambre et votre bureau).

## *Faites la révolution !*

Demandez-vous ce qui peut vous aider à vous trouver vous-même, et quelles circonstances vous empêchent de vivre pleinement votre propre identité. Découvrez les forces qui sommeillent en vous et que vous pourriez mobiliser pour prendre un nouveau départ.

*Exemples :* quittez votre lieu de travail actuel, qui vous déplaît, pour un nouveau lieu qui vous permette d'être plus performant(e), valorise vos compétences et accroisse votre joie de vivre ; emménagez dans un nouvel appartement qui vous convienne mieux ; débarrassez-vous d'un collaborateur qui vous dénigre au profit d'un meilleur, avec lequel vous vous entendrez mieux.

### *Élaguez !*

Les gens qui ont un naturel heureux et positif ont souvent tendance à avoir un emploi du temps surchargé et à démultiplier leurs activités comme leurs obligations. Si c'est votre cas, consacrez votre phase « chenille » à éliminer le superflu, afin de vous sentir plus léger et de pouvoir ensuite vous métamorphoser en papillon. *Exemple :* mettez un terme à votre vie associative, quittez les cercles de réflexion, abandonnez l'un de vos passe-temps, ou encore donnez tous les objets dont vous ne vous êtes pas servi depuis plus de deux ans !

### *Renouvelez-vous !*

Si vous faites partie de ces individus qui font preuve d'une extrême prudence lorsqu'ils doivent remplir leur agenda et qui redoutent les changements, la meilleure façon d'enrichir votre vie est d'y introduire une touche de nouveauté (sans renoncer à vos habitudes pour autant). *Exemple :* apprenez à jouer d'un instrument de musique ou, avant de partir en voyage à l'étranger, apprenez la langue du pays, ou encore acceptez une fonction honorifique.

### *Métamorphosez-vous !*

Comme la chenille se métamorphose en papillon, vous pouvez vous aussi, avec un peu d'imagination, transformer certains aspects de votre vie d'un coup de baguette magique. *Exemple :* rebaptisez votre domaine d'activité ou le service dans lequel vous travaillez et réaménagez complètement les lieux en y mettant de la couleur ou des fleurs et en prévoyant un espace de repos ; habillez-vous de façon à vous sentir à l'aise, sans tenir compte du regard des autres ; exercez votre métier actuel dans des conditions complètement différentes et plus agréables. Dans tous les cas, réjouissez-vous tout simplement de la nouvelle façon dont vous percevez votre vie, qui vous apparaît désormais comme une pyramide unique, d'une beauté incomparable.

# REMERCIEMENTS

Bien que cet ouvrage traite de simplification, sa réalisation a été, à vrai dire, fort complexe ! Un grand nombre de personnes nous ont apporté leur contribution, que ce soit sous la forme d'un travail de longue haleine ou d'idées brillantes et décisives. Trop nombreuses pour être remerciées individuellement, qu'elles trouvent ici l'expression de notre reconnaissance.

Tous nos remerciements vont aussi aux milliers de personnes qui lisent notre bulletin d'information mensuel *Simplify your life*® qu'elles nous ont aidés à leur tour à conduire sur la voie de la simplification.

Enfin, nous nous adressons à vous, chers lecteurs du présent ouvrage : nous vivons à l'époque d'Internet, et les auteurs de ce livre ne sont qu'à un clic de souris de vous ! Alors, n'hésitez pas, contactez-nous.

Werner Tiki Küstenmacher (tiki@tiki.de)
Pr Lothar J. Seiwert (info@seiwert.de)

# TABLE DES MATIÈRES

*Retrouvez*
*les trois premiers niveaux*
*de la pyramide de votre existence*
*dans le tome 1…*

*... Et découvrez tous les principes*
*des tomes 1 et 2*
de Simplifiez-vous la vie
*dans ce double CD.*

Illustrations de
Werner Tiki Küstenmacher

Mise en page
PCA à Rezé

Dumas-Titoulet Imprimeurs
42000 Saint-Étienne
Dépôt légal : mai 2006
N° d'imprimeur : 43903

Imprimé en France

ISBN : 2-7499-0442-0
Dépôt légal : mai 2006
LAF : 648B